KB135471

투명인간과의 동거

모 든 것 이 다 치 유 될 필 요 는 없 어 요
상 처 가 할 일 이 있 을 테 니 까 요

글/그림 **김개미**

투명인간과의 동거

시인동네

차례

제3부

제4부

● 프롤로그

드디어 너를 만나 나는
상상해왔던 이야기의 주인공이 되어
내가 나에게 해왔던 말들을
너의 목소리로 듣는다.
이런 장르의 사랑은 처음이야.
이런 모험은 처음이야.

제 1부

글 좀
써 보겠다고

문제는 집인 것 같다. 우리 집은 내가 너무 잘 안다. 이곳엔 특별할 게 하나도 없다. 여긴 어제 내가 있던 곳이고, 밤에 내가 잔 곳이고, 또 지금 내가 있는 곳이다. 쬐그만 거실, 쬐그만 주방, 쬐그만 방 두 칸, 더 쬐그만 화장실 한 칸, 정말 정말 쬐그만 베란다 하나. 이게 문제인 거다. 내가 여기서 뭘 할 수 있겠나. 이면지에 쬐금 끄적거리다 말겠지. 쬐그만 손을 쬐그맣지만 무거운 머리에 얹고 쬐그맣게 절망하겠지. 이게 문제인 거다. 쬐그만 거? 아니, 집! 이 익숙함과 편안함!

여기서 내가 할 수 있는 일이란 창문을 열고 길을 내려다보는 것. 자갈을 달그락거리며 세탁소 주차장으로 들어가는 자동차를 보는 것. 산에 긁힌 구름이 넓고 길게 펴지는 것을 언제까지나 구경하는 것. 수업을 마친 중학생이 떡볶이를 먹으며 자전거를 타고 가는 것을 보는 것. 초인종 소리에 깜짝 놀라 인터폰을 확인하는 것. 가끔 기지개를 켜는 것. 지니를 불러 이승환의 노래를 틀어달라고 말하는 것. 알림음이 울리자마자 휴대폰을 확인하는 것. 결국 나는 어제 했던 것들을 오늘 또 반복하고 있는 것이다.

뭐라도 해야겠기에 오랜만에 창고를 정리한다. 여기 이사 온 지 2년밖에 안 됐는데 이 짐들은 다 어디서 왔을까. 이사 올 때 다 버리고 왔는데 어떻게 여기 와서 또 쌓였을까. 탑처럼 쌓인 책 묶음들, 이불 보따리, 히터와 재봉틀, 선물 받은 액자들, 못을 박을 줄 몰라서 걸지 않은 시계(잘 가고 있다! 심지어 시간도 맞다!), 크레파스와 물감과 붓과 스케치북, 플룻과 오카리나와 단소와 틴 휘슬과 기타와 베이스 리코더, 둥글게 말아 묶은 전기장판, 파라솔과 파라솔 받침대, 편의점 테이블과 의자…….
버릴 것도 없고 쓸데도 없다.

모든 것을 정리하고 나니 꽤 넓은 공간이 생긴다. 편의점 테이블과 의자를 빼서 닦는다. 창가에 놓으니 그럴싸하다. 화장실만 한 이 창고, 이 창고는 집 근처에 있다. 가끔 덩치가 큰 짐을 둘 데가 없으면 가져다 둔다. 그러나 그런 일도 요즘은 거의 없다. 내 창고지만 나조차 까맣게 잊어버리고 살 때가 많다. 계절이 바뀔 때 전기스토브를 꺼내온다든지 선풍기를 갖다 둔다

든지 하는 게 고작이다.

그래, 여기 감금되는 거야. 뭔가 의미 있는 것을 쓸 때까지 매일 여기 와 있는 거야. 화장실에 있는 거라고 생각하지 뭐. 화장실에 있으면 생각이 잘 나잖아. 참, 그런데 여기서 화장실에 가고 싶으면 화장실을 가야겠네. 여긴 그러니까 화장실이 없는 화장실인 거네. 노트북과 메모지와 연필과 무릎담요와 시집과 소설 몇 권을 들고 온다. 오늘부터 여기가 내 작업실이야. 아무도 나를 부르러 오지 못해(어차피 아무도 나를 부르러 오지 않는다). 여긴 나밖에 모르는 곳이니까. 남의 책으로 꽉 찬 이곳이 내 글로 꽉 차야 하는데…….

몇 개의 메모를 하고 음악을 듣는다. 남향 창문에서 햇살이 쏟아진다. 이마가 따뜻하고 잠이 온다. 갑자기 소음이 뚝 끊어지고 여기는 우주선 내부 같다. 나는 졸면서 무중력의 우주인이 되려고 한다. 고개가 뚝 떨어지려는 찰나, 정신이 번쩍 든다. 지금 몇 시지? 11시 8분이네. 아, 이런……. 지금쯤 벨린저가 타석에 들어섰을 텐데……. 루키의 홈런이 다저스 구장 밖으로 훌쩍 날아갔을 텐데……. 아, 다시 태어나면 야구선수가 되어야지. 그래서 꼭 야구하는 시간에는 야구장에 있어야지.

시간이 잘 안 간다. 내가 한 메모를 읽고 또 읽는다. 버려야 할 게 많다. 하나하나 가위표를 한다. 하나도 안 남는다. 몰래 쓰는 글이라서 잘 써질 줄 알았더니……. 전기가 안 들어오니 낮에만 쓸 수 있고 그래서 쫓기며 쓰니 속도감 있게 써질 줄 알았더니……. 독서대를 가지고 온다. 자세가 중요하니까. 나는 소중하니까. 화장지를 가지고 온다. 화장실은 없지만 코는 나오니까. 코가 안 나와도 화장지는 필요하니까. 사탕과 과자를 가지고 온다. 달달한 게 먹고 싶으면 여기 오는 거야. 계속 계속 오다 보면 뭐라도 쓰겠지.

필요한 것들이 우르르 생각난다. 그림을 그려야 하는데……. 막 그리고 싶은 게 생각났는데……. 집에 가서 펜과 잉크와 종이를 챙긴다. 새로 산 마우스를 챙긴다. 수첩도 몇 개 챙긴다. 포스트잇도 챙긴다. 맞다, 화장을 안 했다. 정성 들여 화장을 한다. 마음가짐이 중요하다. 그릇이 중요하다. 빨간 립스틱을 바르고 탁자에 올린 물건들을 에코백에 담는다. 정신이 또렷해야 해. 정신이……. 커피를 끓여 보온병에 담는다. 마지막으로 거울을 한번 본다. 어디 멀리 갈 것처럼 운동화를 신는다. 그리고 창고로 향한다. 화장한 게 아까우면 뭐라도 쓰겠지.

오후 2시가 넘어가자 한계가 온다. 시집을 펴도 소설책을 펴도 눈에 잘 들어오지 않는다. 창문 밖으로 한껏 푸른 가을 하늘만 넘실거린다. 지금 난 머릿속에 가뭄이 왔어. 떨어질 씨앗도 없고 떨어져도 아무것도 자라지 못해. 그렇다고 죄책감 갖지는 말자. 못 쓸 때도 있는 거지. 원래 글이 잘 안 써질 때는 술도 먹고 그러는 거야. 술을 먹고 조금 나쁜 생각을 하면 잘 써질지도 몰라. 헐레벌떡 집으로 달려간다. 맥주와 포테이토칩을 챙겨 온다. 맞아, 나 글 쓰는 사람이야. 글 쓰는 사람이 술을 안 마시면 도대체 누가 마셔?

맥주 두 캔을 마시고 나니 눕고 싶다. 삐딱하게 누워서 하품을 하면서 야구를 보고 싶다. 내가 응원하는 팀이 져도 그렇게 기분 나쁠 것 같지 않다. 텔레비전이 있어야 하나? 텔레비전은 좀 그렇고 라디오에서 야구 중계를 해주면 얼마나 좋을까? 옛날엔 그랬었는데 요즘 라디오는 수다만 떤다. 라디오에서 야구 중계를 하면 아, 생각만 해도 좋다. 캐스터와 해설이 무슨 말을 하면 나는 선수들의 움직임을 자세하게 상상할 텐데……. 실제 야구장에서 보는 선수들보다 훨씬 더 멋지게 상상할 걸…….

한 시간에 한 캔이다. 한 캔에 한 시간인가. 어쨌든 두 시간이 지나니까 술이 깬다. 정신이 또렷해진다. 생각보다 감금 생활은 불편하구나. 여기 더 있다가는 이상해질 것 같다. 이게 다 무슨 소용이야? 글 쓰는 것에 노력이란 건 정말 쓸데없어. 장소가 뭐가 중요해? 그러려면 집이 왜 필요해? 여기서 이러려면 아예 집을 계약하지 말고 창고를 계약해서 살지 그랬어? 한심한 인간……. 오전에 청소한 것도 아깝고 화장한 것도 아깝고 죄책감 가지면서 맥주 두 캔 먹은 것도 아깝다.

그래, 어처구니없는 내 모습을 써 보자. 얼마나 바보 같을 수 있는지 들여다보자. 글을 쓰기 직전까지는 엄청나게 부지런하고 글을 쓰는 바로 그 순간에는 한없이 게을러지는 나. 글을 안 쓸 때는 쓸 게 넘쳐나는데 막상 쓰려고 하면 하나도 쓸 게 없는 나. 그런 내가 지금 이 글을 쓴다. 편의점 테이블에 노트북을 올려놓고 화장실만 한 창고에서 궁상을 떨면서. 글이란, 쓰면 쓸수록 글 쓰는 실력이 느는 게 아니라 솔직할 수 있는 용기가 느는 건지도 모르겠다. 으흐흐.

꼰대는 자신도 모르게 꼰대다

방금 H로부터 이런 말을 들었다.

"너도 박경리 작가 같은 작가가 돼라."

나는 나도 모르게 대답했다. 누가 이런 말을 하면 보통 기분이 너무 나빠 할 말을 잃고 마는데, 오늘은 달랐다.

"싫어. 박경리를 좋아하고 존경하기까지 하지만, 나는 그냥 내가 될래. 박경리 같은 작가는 박경리만 있으면 돼."

그러자 H는 이렇게 말했다. 고두심도 아니면서.

"잘났어, 정말."

그는 나와 밀접한 관계에 있는 사람이다. 그와 나는 서로 관계를 단절하고 살 수 없는 사이다. 전화를 끊고 화가 나서 그의 전화번호를 수신 차단했다. 이런 것이 내가 할 수 있는 소심한 복수다. 그러나 서슴없이 싫다고, 나는 내가 될 거라고 말한 건 정말 잘했다. 그래도 분이 안 풀려서 페이스북에 글을 올렸다.

나만 그런 건 아닌 모양이다. 글을 쓰며 사는 많은 사람들이 비슷한 말을 듣는 모양이다. 심지어 어떤 사람은 남편에게서 고양이가 되라는 말도 들었다고 한다. 조금 위안이 된다. 당장 위안을 받는 데는 페이스북이 최고다. 기분이 좋아져서 수신 차단을 해제했다. 다음에 H가 또 이런 말을 하면 이렇게 말해줄 생각이다.

"나는 박경리가 될 테니, 너는 마더 테레사가 돼라!"

커피를 한 잔 마시고 있자니, 얼마 전 H로부터 받은 질문이 생각난다. H는 순진한 얼굴로 이렇게 물었다.

"그나저나 글 써서 얼마나 버니?"

나는 기분이 나빴지만 바보같이 대답을 하고 말았다.

"입에 풀칠할 정도로 벌어. 그만큼 못 벌 때는 전에 벌어놓은 거 까먹으면서 살고."

정말 멍청이가 아닌가. 그러자 그는 자세를 고쳐 고개를 앞으로 쭉 빼고 또 물었다.

"책이 팔리긴 팔려? 인세는 받니? 책 한 권 팔리면 너한테 얼마 떨어져?"

제기랄! 나는 또 대답을 하고 말았다.

"많이는 아니고 그래도 조금씩은 팔려. 인세는 책값의 십 퍼센트야. 만 원짜리 한 권 팔리면 나한테 천 원 와. 그림 있는 책은 그보다 좀 내려가고."

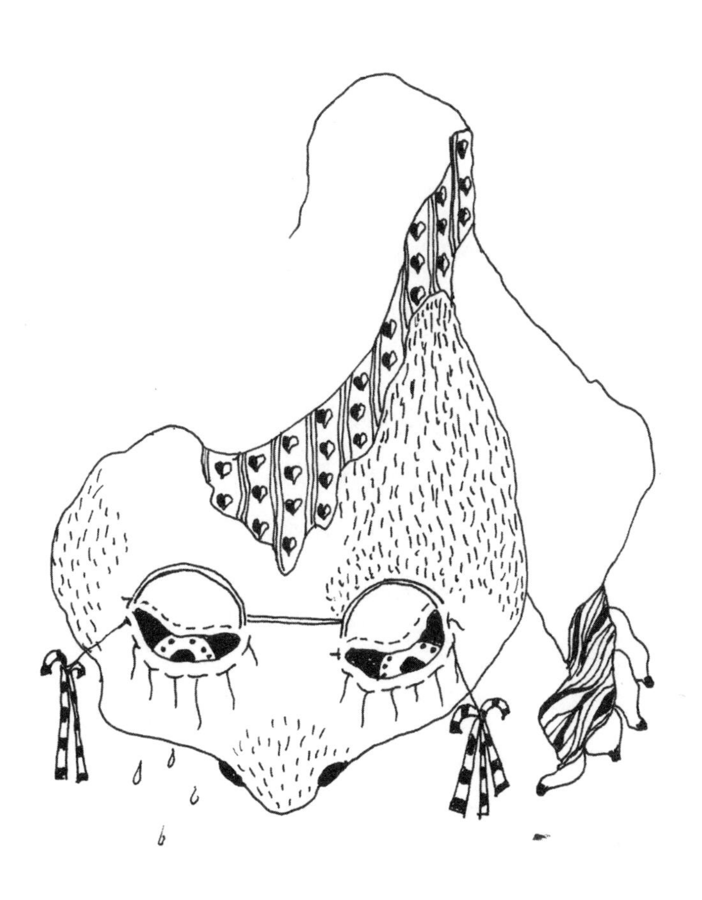

아, 정말 미치겠다. 타임머신이 있다면 그 시간으로 돌아가서 말해주고 싶다.

"이 인간아, 뭘 물어볼 때는 자기 이야기를 먼저 한 다음 물어보는 게 예의지. 그래 너는 그 잘난 직장 다녀서 얼마나 버니? 요즘 같은 불황에 연봉이 오르긴 오르니? 야근하면 수당은 나오고? 그걸로 충분한 보상이 돼? 직장에서 네가 돈 말고 얻는 게 있기는 있어? 장래는? 어차피 나중에는 은퇴 아니면 해고잖아. 게다가 넌 나이도 먹을 만큼 먹었고. 거기에 대한 대비책은 있어?"

H는 얼굴이 일그러지겠지. 자리를 박차고 일어설 거다. 그러면 뒤통수에 대고 조곤조곤 말해줘야지.

"나는 해고당할 일 같은 건 없어. 일흔 살 먹어도 은퇴는 안 해. 그때도 나는 여전히 현역이야."

기분 나쁜 일은 꼬리에 꼬리를 물고 생각나는구나. H는 아까 이렇게도 물었다.

"책은 또 언제 나오니?"

나는 또 맑고 투명하게 대답한 것이다.

"음……. 내년 여름 지나서."

책이 나온 지 다섯 달도 안 됐는데, 다음 책이 나올 시기를 묻는 무례함이라니……. 내가 책을 곧잘 내니 책 내는 일이 쉬워 보이나? 난 한 번도 쉬운 적 없었는데……. 글 쓰는 사람에게 책이 나오는 시기를 묻는 것은 나이 든 처녀 총각에게 결혼할 시기를 묻는 것과 비슷한 수위의 질문이다. 나는 정녕 이렇게 대답해줬어야 옳았다.

"그러는 넌 언제 진급하니? 설마 지금 직급이 최고 직급은 아니지? 한참 올라갈 수 있는 거지?"

덧붙여 이런 말도 해줬어야 했다.

"진급이란 건 자기가 진급하고 싶다고 해서 되는 게 아니라서 힘들겠다. 나도 물론 힘들지 않은 건 아니지만, 그래도 난 내가 마음만 먹으면 글 쓸 수 있어. 책도 낼 수 있고. 최소한 내 일은 나한테 달려 있어."

발등을 찍고 싶다. 왜 항상 그 자리에서는 생각나지 않는 말들이 전화를 끊고 나면 한꺼번에 우르르 생각나는 걸까. 이런 말들은 수첩에라도 적어 두었다가 누군가에게서 비슷한 질문을 받으면 재빨리 대답해줘야 한다. 수첩을 보고서라도. 억울하다, 억울해. 억울해.

그는 또 이런 말도 했다.

"나 있는 데 놀러 올래?"

다행히 이 말에 대한 대답은 잘 튀어나왔다.

"싫어. 난 어디 가는 거 귀찮아."

그러자 가만히 있을 H가 아니잖은가. 그는 이런 소리로 나를 뒤집어 놓았다.

"글 쓰는 사람이 여행도 가고 그래야 좋은 글이 나오지 집에 가만히 틀어박혀 있는데, 글이 나오냐?"

아무래도 그 말에 나는 너무 진지하게 대답한 것 같다.

"스타일이지. 글 쓴다고 다 똑같겠어? 나도 나름 내 스타일이 있지. 나는 어디 가는 게 스트레스야. 스트레스 받으면 글이 되겠어? 난 집에 있는 게 좋아. 집에 있을 때 글이 잘 나와."

멍청한 대답은 아니었지만, 그보다 더 좋은 대답이 이제야 생각났다. 젠장.

"글 나오는 건 너보다 내가 더 잘 알아. 내가 전문이라고. 근데 네 말을 들으면 어째 네가 더 잘 아는 것 같다. 난 네 회사 생활에 대해 하나도 몰라서 하나도 아는 척 안 하는데."

H도 여행병에 걸린 모양이다. 패키지로 유럽 몇 번 갔다 오더니 유럽 여행 안 간 나를 아주 개구리 취급한다. 여행이란 거, 하고 싶은 사람한테나 여행이지 하지 싫은 사람한테는 노동 아닌가. 돈 벌어서 여행 간다고? 여행, 여행, 여행……. 그런 소리 없는 데로 여행 가고 싶기는 하다.

H는 언젠가 이런 질문도 할 것이다.

"너 아직도 글 쓰니? 어머, 웬일이니? 질리지도 않니? 누가 알아준다고……."

나는 이미 다른 사람에게서 비슷한 질문을 받은 적이 있다. 가령 '너 아직도 시 같은 거 쓰니?' 같은…….

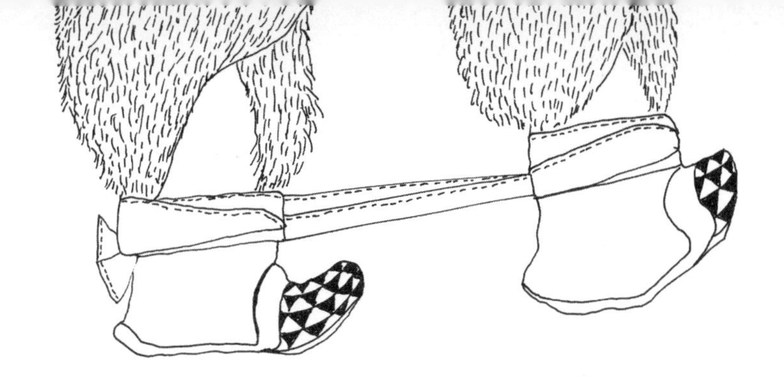

H의 입에서 그 말이 나오면 정말이지 망설이지 말고 대답해 줘야지.

"응. 아직도 글 써. 아직도 재미있어. 한 번도 그만두겠다는 생각 같은 건 안 해봤어. 군인도 간호사도 사서도 교사도 배우도 해봤는데, 글 쓰는 게 제일 재미있어. 안 질려. 하나도 안 질려. 앞으로도 계속 계속 쓸 거야. 그런데 너는 어떻게 지내니? 뭐 재미있는 일은 있고? 직장 다니는 거 아직도 재미있어? 오래 다녔는데 그만두고 싶지는 않아? 어머, 미안해. 벌써 그만뒀구나!"

글 쓰는 사람이 무슨 죄인인가 말이다. 아무 때나 아무 질문이나 막 하게. 무례한 사람은 의외로 가까이에 있다. 그들은 대개 그걸 관심이라고 잘못 알고 있다. 정말로 나에 대해 궁금하다면 내 글을 읽어야지. 내가 하고 싶은 말들은 거기 다 있는데……. 쓸쓸하다, 쓸쓸해. H, 네가 내 글을 안 읽어도 좋아. 너

와는 상관없이 나는 즐겁게 글을 쓸 테니까. 예를 들면 이런 시.

시 쓰는 애인에게

시가 너무 싱거워요

독한 걸 써줘요

당신의 가장 슬펐던 순간

당신의 분노가 환하게 터졌던 순간

당신의 사랑이 박살났던 순간

무참히 부서졌던 당신에 대해 적어줘요

당신이 정상이라는 그 흔들림 없는 믿음 때문에

당신 시는 읽기 싫어요

시가 너무 싱거워요

당신만의 꽃

당신만의 욕망

당신만의 병에 대해

아직 아무에게도 이야기하지 않은

당신만의 비밀을 말해줘요

다른 사람 이야기로 말 많은 사람은 싫어요

내가 이미 다 지껄인 말들을

또 지껄이니까요

당신만이 알고 있는 이상한 당신을

당신만이 찾아내는 더 이상한 나를

당신 시에 데려와요

정상으로 돌아오기 전에

착하기 전에

약을 먹기 전에

어서요

H, 내가 너를 힘들어 하는 이유도 비슷해. 너는 항상 너는 정상 나는 비정상으로 설정해놓고 이야기를 하잖아.

투명인간과의 동거

우리 집 거실 겸 작업실에는 탁자가 두 개고, 의자가 다섯 개다. 나는 가끔 이 의자에도 앉아보고 저 의자에도 앉아본다. 그러면 조금 다른 사람이 되어서 조금 다른 생각을 할 수 있을 것 같다. 한밤중에 일어나 화장실로 가다가 달빛이 들어온 거실을 둘러볼 때가 있다. 등받이에 담요나 잠바, 망토를 걸친 의자들을 보면서 이 집에 나 말고 누가 또 있다는 것을 떠올린다. 그는 바깥에 나간 것이리라. 달빛이 환한 공원을 산책하고 있으리라. 그래, 나는 혼자가 아니야. 나는 투명인간과 동거를 하고 있어……. 내게 중요한 건 내가 누군가와 함께 있는 것이 아니라, 내가 누군가와 함께 있다고 느끼는 것이다.

나는 매일 비슷한 시간에 잠이 들고, 비슷한 시간에 깨고, 비슷한 시간에 잠자리를 정리하고, 비슷한 시간에 옷을 갈아입고, 비슷한 시간에 세수를 하고, 비슷한 시간에 밥을 먹는다. 밥을 먹고 나면 설거지를 하고 집안을 정돈한다. 제자리를 찾아야 할 물건들이 모두 제자리를 찾은 다음 그날 읽을 책을 고른다. 어디 가려고 그러는 건 아니다. 누가 오는 것도 아니다. 나는 투명인간이 나를 본다는 것을 안다. 그래서 나는 혼자 있어도 혼자가 아니다. 늘 투명인간과 함께 있으므로 규칙적인 생활을 한다. 그것이야말로 동거를 위한 최대의 배려이므로.

투명인간은 커피를 좋아한다. 그가 커피 마시는 모습을 본 적은 없지만 커피를 좋아하는 것은 분명하다. 내가 커피를 마시려고 하면, 싱크대에 누군가가 놓고 간 커피잔이 있다. 그의 짓이다. 그는 때로 내 립밤을 바른다. 증거도 있다. 내 립밤의 엷은 주황색이 그가 쓴 컵에 묻어 있다. 나는 그 컵을 물에 담근다. 그리고 내 커피를 준비한다. 커피를 마시고 나면 컵을 닦는다. 투명인간은 그런 일을 싫어하니까. 집안일은 언제나 내 담당이니까. 내가 방으로 들어가 텔레비전을 보고 있으면, 그가 슬며시 웃는다. 그는 귀찮은 건 싫어하지만 깨끗한 건 좋아한다.

나는 종이를 아끼는 할아버지를 닮았다. 우리 집에 들어온 종이는 할 일을 마친 다음에야 우리 집 밖으로 나갈 수 있다. 이면지를 잘라 메모지를 만든다. 한 묶음은 방에, 한 묶음은 거

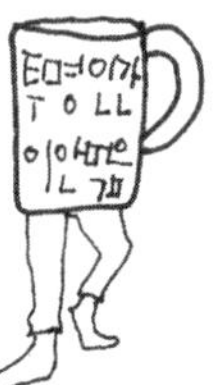

실에 둔다. 내가 방에 누워 있다가 뭔가가 생각나서 끼적이면, 거실에서는 투명인간이 투명한 메모를 한다. 그런데 가끔은 그가 정체성을 잃고 정체를 들키기도 한다. 그만의 필체를 메모지에 남기는 것이다.

투명인간은 맥주를 좋아한다. 하필 술에 대한 취향이 나와 같다니……. 그는 내가 마시려고 냉장고에 사다 넣은 맥주를 나 몰래 마셔버리곤 한다. 나는 그가 맥주를 마셨다는 증거를 여러 차례 찾아냈다. 베란다 구석에 있는 발로 밟아 납작해진 맥주캔이 그 증거가 아니고 무엇이랴. 그는 맥주를 마신 다음 날은 점심때까지 죽은 듯이 있다. 늦잠을 자거나 술병이 나서 탁자 밑에라도 들어가 누워 있는 것이리라. 이봐, 투명인간! 얌전히 책이나 읽게나. 자네도 알다시피 내 냉장고는 내 것이니 함부로 손대지 않았으면 하네. 내 냉장고 안에는 자네가 마실 술 따위는 없다는 것을 명심하길 바라네.(물론 내가 마실 술은 있다네)

가끔 기분이 좋으면 나는 목을 가다듬고 노래를 부른다. 틀리지 않으려고 정성을 다한다. 종종 화장실에서도 노래를 부르는데, 그때는 나도 노래를 잘하는 사람 같다. 그러나 투명인간은 화장실에는 잘 안 들어온다. 그러니 나를 음치로 알고 있을 것이다. 그도 노래를 한다. 말도 한다. 그는 내가 잠들었을 때 노래를 하고 말을 하는데, 어떤 때는 내가 잠든 줄 알고 노래를 하고 말을 한다. 내가 철가루가 되어 잠이라는 힘센 자석에 막 달라붙으려 할 때, 그의 노래와 말은 들려온다.

투명인간은 라디오를 좋아한다. 소리를 아주아주 조그맣게 해놓고 나 몰래 듣는다. 가끔 달빛이 너무 강해 깨면 그가 틀어 놓은 라디오 소리가 들린다. 참 이상한 투명인간……. 나를 아주 많이 닮았다. 라디오 듣는 취향은 왜 또 나랑 비슷한가 말이다. 내가 즐겨 듣는 주파수는 또 어떻게 찾아내는지 모르겠다. 그는 어떤 디제이를 좋아할까. 어느 대목에서 웃을까. 나에게 들리지는 않지만 호탕하게 웃을 것이다. 중얼중얼 떠들면서 커피를 마시면서 낙서를 하면서 발장단을 맞추면서 혼자서도 즐겁게 놀 것이다.

내 옷을 입기도 하는 투명인간, 내가 읽던 책을 숨기기도 하는 투명인간, 내 볼펜을 잃어버리기도 하는 투명인간, 내 휴대폰을 쓰기도 하는 투명인간, 불을 켜놓기도 하는 투명인간, 컴퓨터를 켜놓기도 하는 투명인간, 내 돈을 가져가기도 하는 투명인간, 며칠 동안 어딘가를 갔다 오기도 하는 투명인간, 추위를 많이 타는 투명인간, 겨울을 무서워하는 투명인간, 내 목도리를 빼앗아가기도 하는 투명인간, 봄을 기다리는 투명인간, 점점 더 존재감이 커지는 투명인간.

나는 가끔 그에게 이야기를 하기도 한다. 이보게, 글쎄 내가 애니메이션으로 된 꿈을 꾸었지 뭔가. 뭐 놀랄 일도 아니라네. 전엔 일러스트로 된 꿈도 꿨다네. 내 말을 들으면 사람들은 다들 거짓말이라고 할 거네. 어쨌든 초록 애벌레와 얼룩덜룩 얼룩말이 나왔다네. 얼룩말은 얼룩말만 했고 애벌레는 물개만 하더군. 마차 끌기 경주를 하지 뭔가. 누가 이겼겠나? 거북이? 이봐, 거북이는 토끼와 경주를 하지 않나. 애벌레가 이겼다네. 애벌레 한 마리가 끄는 마차가 얼룩말 여섯 마리가 끄는 마차를 이겼다네. 붓으로 그린 회색 먼지가 꽃처럼 피어나지 뭔가. 꿈속에서 막 웃었다네.

다 떠들고 나면 잠시 조용히 앉아 있는다. 그리고 투명인간에게 듣고 싶은 말을 생각한다. 내가 만약 투명인간이라면 무슨 말을 할까? 그래, 투명인간이 투명하지 않다면 그는 이렇게 말할 거야. 분명해. 자네 얘긴 잘 들었네. 그런데 다음번 꿈에는 말일세. 구경꾼으로 있지 말고, 자네가 직접 주인공으로 나오기를 바라네. 자네가 어떤 캐릭터로 나올지 궁금하지 않나? 인간 세계에서야 자네는 그저 그런 인간이지만, 또 아나? 애니메이션 세계에서 자네는 아주 멋지고 제법 웃길 수도 있는 인물일지…….

그리고 어쩌다가는, 정말 어쩌다가는 고민을 털어놓기도 한다. 이보게, 나는 징징대는 사람이 지독히도 싫다네. 그런데 이상하게 내 주변에는 항상 징징대는 사람들이 있다네. 네 명 정도가 있는데, 그들은 공통점이 있다네. 그들은 (나는 없는) 든든

한 직장이 있고, (나보다) 돈이 많고, (나는 없는) 차가 있고, (나보다) 일이 많고, (나보다) 갈 곳이 많고, (나보다) 집 평수가 크다네. 하여튼 나보다 잘났네. 그래서 나는 그들을 만나면 더 외

롭고 더 가난해진다네. 그런데 이상하게 들어주고 위로해줘야 하는 건 나라네. 아무래도 내가 들어주는 데 재능이 있는 것 같네, 망할! 그들은 앞으로도 나만 만나면 징징댈 거네. 정말 넌덜머리가 난다네. 어떡하면 좋겠나.

나는 주먹을 불끈 쥐고 앉아 투명인간이 내게 해줄 만한 말을 조용히 그러나 분명하게 말한다. 이보게, 그들은 징징거림으로 자신의 존재를 증명한다네. 그들이 징징대려 하면 재빨리 자리를 뜨게나. 그들은 시도 때도 없이 징징대고, 들어주는 사람이 있으면 더 징징댄다네. 그들은 상대방을 잔뜩 괴롭힌 다음, 상대방을 바보로 여기며 집으로 돌아간다네. 어느 날 자네가 더 이상 그들의 하소연을 들어주지 않으면, 그들은 자네에게 나쁜 사람이라 할 거네. 그리고는 자네를 떠날 거네. 또 누군가를 찾아내 징징대야 하니까 말이네. 그런 자들에게 인내를 발휘해선 안 되네.

투명인간이 내게 무슨 말을 하는지는 중요하지 않다. 그가 그렇게 말하리라고 생각하는 내 생각이 중요하다. 나는 하나부터 열까지 이기적이고, 투명인간은 처음부터 끝까지 내 편이므로…….

갑자기, 갑자기,
갑자기!

나는 글을 쓰려고만 하면 **갑자기** 하고 싶은 것들이 마구 생겨난다. 그리고 그 온갖 것들을 해치우지 않으면 병이 날 것 같다. 그것들을 끝까지 하지 않고 미루면 영원히 아플 것 같다. 그 순간부터는 글을 쓰는 일이 세상에서 제일 끔찍한 일이 되고 만다. 글만 안 쓰고 살면 좋을 것 같다. 진짜 진짜 행복할 것 같다. 늙지도 않을 것 같다. 애인이 떠나가지도 않을 것 같다. 순식간에 나는 글 빼놓고는 다 잘할 수 있는 인간이 된다.

그래도 다행히 금방 정신이 돌아온다. 끝까지 안 쓸 수는 없는 노릇이니까 최대한 안 쓰고 버티려고 발버둥을 친다. 그러면 **갑자기** 심심풀이로 하던 게임이 생각난다. 그 시시한 게임이 미치게 하고 싶어진다. 그 게임이 아주 짜릿했었고 세상에서 제일 흥미진진한 것이었다는 생각이 든다. 어쩔 수 없다. 그걸 안 하면 죽게 생겼으니 일단 살고 보자는 심정이 된다. 미친 듯이 게임을 한다.

목이 뻣뻣해지면 일어나 핫바를 하나 꺼내 전자레인지에 데워 먹는다. 너무나 맛있다. 입이 텁텁해졌으니 커피도 한 잔 마신다. 컵을 싱크대에 담그러 가다가 **갑자기** 납부할 공과금이 생각난다. 공과금에 대한 강박도 함께 생긴다. 잊으면 안 돼. 공과금 청구서 세 장을 모아 빨간 손잡이가 달린 집게로 집어 놓는다. 그래도 잊을 수 있으니까 메모지에 '공과금 납부 오늘!'이라고 써서 냉장고에 붙여놓는다. 그래도 잊을 수 있으니까 빨간 색연필로 별을 세 개 그려 넣는다.

돌아서는데 **갑자기** 거기 있는지도 모르고 살았던 훌라후프가 보인다. **갑자기** 핫바와 커피를 마셨다는 죄책감에 괴로워하면서 훌라후프를 돌린다. 정신없이 훌라후프를 돌리다 보면 **갑자기** 정신(아까 제대로 돌아오지 않았나?)이 돌아온다. 아무것도 하지 않고 훌라후프만 돌리면 자전거 타는 원숭이와 다를 바 없다는 생각이 들어서 텔레비전(사실 텔레비전을 보면서 훌라후프를 돌리는 게 더 원숭이 같다)을 켠다. 텔레비전을 보면서 훌라후프를 돌린다. 이내 주먹만 한 한쪽 뇌에 고이는 생각, 모든 것을 하고 싶다! 할 수 있을 것 같다! **갑자기** 열정이 솟구친다. 글 쓰는 일만 빼고.

집중력만은 내가 최고라고 생각하고 살아왔는데, 기가 차다. 집중력 최고인 사람은 어디 가고 ADHD 환자가 나랍시고 내 책상을 차지하고 앉아 있다. 선배 작가들을 존경하지 않을 수 없다. 그들은 어떻게 30년, 40년, 50년이 넘도록 글을 쓸 수 있었을까. 어떻게 그 감각과 수준을 유지할 수 있었을까. 샘물처럼 솟아나는 유혹을 어떻게 다 물리칠 수 있었을까. 그들은 수도원에 기거하지 않았지만 그 어떤 수도사보다 훌륭한 수도사다. 그들의 글은 사투의 결과물이 아닌가. 나는 죽어도 그렇

게 못 되겠구나. **갑자기** 절망에 빠진다. **갑자기** 내가 미워진다.

냉장고에 먹을 게 하나도 남지 않을 때까지 냉장고를 털어 먹는다. 냉장고에 곰이 한 마리 들어 있으면 그것도 다 뜯어 먹을 수 있을 것 같다. 과자봉지를 탈탈 털어먹고 나자 **갑자기** 바닥에 떨어진 머리카락이 보인다. 한 올 한 올 장인의 손길로 주워 그걸 뭉쳐 동그랗게 만든다. 현관에서 방황하는 신발들을 한식당집 현관처럼 정리한다. 조금도 삐뚤어지면 안 된다. 방에 들어가자 이불이 보인다. 어느 멍청이가 이불을 이따위로 개켜놨는지 모르겠다. **갑자기** 이불을 다 다시 갠다. 보병부대 내무반 이불처럼 각을 잡는다. 역시 나는 각을 잘 잡아. 실력 어디 안 갔어. 이불 정리가 끝나자마자 **갑자기** 여름에 모기 잡은 흔적이 눈에 들어온다. 곰팡이 제거액을 가져다 뿌린다. 벽에 미세하게 남은 모기 핏자국을 지운다. 벽지가 한 꺼풀 벗겨진다.

간신히 책상 앞으로 돌아온다. 그런데 웬일일까. **갑자기** 내 두뇌가 비약적으로 좋아지고 만다. 그 좋은 머리로 마감이 코앞인 원고를 써야 하는데, 다른 원고 소재가 생각나고 만다. 그 소재가 너무나 매력적이어서 그걸 먼저 쓰고 싶다. 연필만 들면 지금 당장 죽여주게 쓸 수 있을 것 같다. 지금이 아니면 이 느낌과 결이 훌랑 날아가 버릴 것 같다. 공중을 떠돌다 다른 사람 머리에 들어갈까 걱정이 된다. 안타까움에 몸을 떤다. 그러나 나는 당장 발등의 불을 꺼야 한다. 마감이 3일밖에 안 남았다. 아, 정말이지 그 원고만 빼면 뭐든지 다 쓸 수 있을 것 같은데……. 무얼 써도 훌륭할 것 같은데…….

첫 문장이 나오지 않는다. 어떻게든 한 문장만 나오면 진도가 나갈 것도 같은데……. 설마 글 못 써서 죽기야 하겠어? 핫바나 하나 더 데워 먹고 시작하자. 그걸 먹으면서 하늘도 좀 쳐다보고 숨도 좀 쉬면서 여유를 찾자. 어떻게 시작해서 어떻게 끝낼지 정리해보자. 그래, 그러는 거야. 그러면 다 잘 될 거야. 그런데 **갑자기** 정신(아까 덜 돌아온)이 돌아온다. 아뿔싸! 핫바가 없다. 아까 다 먹었다. 슬리퍼를 끌고 편의점에 간다. 핫바를 먹으면서 집으로 온다. 하늘이 쾌청하고 바람이 좋다. 그런데 그게 또 덫이다. **갑자기** 왜 떠나간 애인은 생각나는지 말이다. 게다가 왜 보고 싶기까지 하나 말이다.

갑자기 뭘 먹기는 했지만 밥을 먹지는 않았다는 생각이 든다. 핫바와 커피와 과자 따위는 밥이 아니다. 그렇게 생각하자 **갑자기** 배가 고파진다. 밥은 아니지만 무엇을 먹었으니 참아 봐, 라고 생각하자 서러워지기 시작한다. 다 먹자고 하는 짓인데, 먹고 싶을 때는 먹는 게 우선이라는 생각이 방안에 가득 찬다. 그 생각을 들이마신다. 오늘은 이상하게 내가 부잡스럽고

심지어 내가 여러 사람인 것 같다. 그러니 오늘은, 오늘만은, 밥도 간식도 여러 번 먹는 게 자연스럽다는 생각에 이른다. 가끔 이렇게 이상하게 구는 것은 지극히 정상적이니 이상할 게 하나도 없다는 생각에 이른다. **갑자기** 점심인지 저녁인지도 모를 밥을 먹는다.

다시 책상 앞에 앉아 중얼거린다. 이제 진짜 쓰자. 이러고도 안 쓰면 네가 사람이냐. 컴퓨터 모니터를 보고 있자니 **갑자기** 자주 보던 드라마가 생각난다. 그 드라마 종편을 보지 못했다. 그게 어떻게 끝났더라? **갑자기** 그게 궁금해 죽을 지경이다. 그걸 모르면 글은커녕 아무것도 못 할 것 같다. 다급하게 인터넷 검색을 한다. 아, 그렇게 되었구나. 그렇게 되었어. 마음이 풀린다. 그러자 **갑자기** 어느 잡지 송년회에서 말실수 한 게 떠오른다. **갑자기** 머리가 백 개 달린 것처럼 생각이 많아진다. 백 개의 머리가 만족하도록 수도 없이 고개를 휘젓는다.

엉덩이를 의자에서 떼지 않기 위해 몸을 쭉 늘여 전화기를 집어온다. 글 쓰겠다고 꺼놓은 전화기 전원을 켠다. 어디서 연락은 안 왔나 꼼꼼하게 살핀다. 전화기를 들고 있자니까 **갑자기** 페이스북이 궁금하다. 누가 친구 신청을 했나 메시지를 보냈나 알고 싶다. 지금 당장 확인하지 않으면 죽을지도 모른다. 그래, 여태 딴짓했는데 뭐 하나만 더 하자. 5분도 안 걸려.

……, ……, ……, ……, ……, …….

손봐야 할 곳은 많지만 어쨌든 기적적으로 초고를 완성한다. 드디어 발등의 불이 꺼진다. 발등의 불과 함께 서로 자기를 해결해달라고 아우성치던 글거리 일거리들이 한꺼번에 꼬리를 감춘다. **갑자기** 정신(아까 돌아올 때 덜 돌아와 다시 돌아왔지만 그때도 덜 돌아와 또 돌아온)이 돌아온다. 글 쓰는 것 빼고 아무것도 할 수 없는 원래의 나약한 나로 돌아온다. 아까 떠올랐던 탐스러운 글감들을 메모지에 적으려 하자 하나도 생각이 안 난다. 다행이 이럴 때 쓰기 적당한 말은 생각난다. 얼어 죽을! **갑자기** 매우 당장 진탕 아주 정말 콱 얼어 죽을!

김개미 씨,
처방전 받아 가세요

갈팡질팡하는 김개미 씨를 위해서 10가지 처방을 내립니다. 부디 깨어 있는 동안은 정신을 바짝 차리고 다음 처방을 지키시기 바랍니다.

1. **당신 자신의 이야기를 하시기 바랍니다.** 인정합니다. 당신은 절실합니다. 그런 당신이 하고 싶은 말이 있을 것입니다. 그것을 시에 녹여 넣으시기 바랍니다. 당신의 생각, 당신의 숨, 당신의 노래, 당신의 춤, 당신의 맥박을 시에 불어넣으시기 바랍니다. 부끄러워하지 마시기 바랍니다. 당신의 이야기는 당신이 최선을 다해 살아온 증거이며 흔적입니다. 시를 밀도 있게 만들 것이며, 생동감을 불어넣을 것입니다. 시를 살아있는 유기체로 만들 것입니다. 부디, 아프면서 쓰시기 바랍니다. 울면서 웃으면서 쓰시기 바랍니다. 울고 난 다음 웃으면서 쓰시

기 바랍니다. 춤추면서 노래하면서 쓰시기 바랍니다.

2. **기술과 감성, 두 가지 중에는 항상 감성을 위에 두시기 바랍니다.** 좋은 기술과 언어를 가지고 있으면 하루에 10편도 20편도 쓸 수 있을 것입니다. 시간과 장소와 여건만 허락되면 공장에서 물건 찍어내듯 일주일 만에 시집 한 권을 쓸 수도 있을 것입니다. 그러나 당신은 그런 시도는 생각조차 하지 마시기 바랍니다. 기술로만 무장한 시, 머리로만 설계한 시는 결코 당신 마음에 들지 않을 것입니다. 거미에게서 배우시기 바랍니다. 거미는 살기 위해 온몸에서 실을 뽑아냅니다. 거미줄은 결코 거미의 머리에서 나오지 않습니다. 온몸에서 나온 것이라야 끈끈하게 무엇이라도 잡아놓는 것입니다.

3. **아이를 흉내 내지 마시기 바랍니다.** 당신이 무엇이 부족해서 아이를 흉내 냅니까? 당신은 이미 아이였던 적이 있으며, 지금도 순간순간 아이일 때가 있지 않습니까? 70살이 되고 100살이 되어도 당신은 언제든지 저절로 아이가 될 것입니다. 두려워하지 마십시오. 아이가 필요할 땐 한 점 거짓 없이 당신 자신이 아이인 순간을 잡으시면 됩니다. 척하지 마십시오. 무리하지 마십시오. 당신은 하루에도 여러 번 어른에서 아이로, 아이에서 노인으로, 노인에서 어른으로, 변신하지 않습니까? 그러니 당신은 당신을 보여주기만 하면 됩니다. 믿으십시오.

당신의 변신술은 최고입니다.

4. **꼴통기질을 버리지 마십시오.** 당신의 무기입니다. 당신의 개성과 특별함은 꼴통기질에서 기인한 것입니다. 착해지지 마십시오. 평이해지지 마십시오. 수렴되지 마십시오. 당신은 반발의 유전자를 갖고 태어나지 않았습니까? 튕겨져 나가십시오. 좋은 씨감자가 되려 하지 마십시오. 재배하지 않은 야산의 뚱딴지가 되십시오. 그게 당신에게 어울립니다. 타협하지 마십시오. 삐뚤빼뚤한 당신에게 잘 정돈된 마을은 정말이지 어울리지 않습니다.

5. **심리적인 탈출구를 뚫으시기 바랍니다.** 당신은 늘 숨막혀하고 버거워하고 골치 아파합니다. 짓눌려 있습니다. 행복하십니까? 당신의 마음에 창문을 달아주시기 바랍니다. 당신 스스로 시를 쓰면서 환기되시기 바랍니다. 방안에 누워서도 하늘을 나는 것 같은 자유로움을 누리시기 바랍니다. 당신이 자유로울 때 당신 시가 자유로울 수 있습니다. 당신이 자유로울 때 당신은 무엇이든 될 수 있습니다. 당신이 거침없이 상상할 때 당신 시를 읽는 사람이 숨을 돌릴 수 있습니다. 부탁합니다. 당신을 풀어놓으십시오. 당신이 먼저 해방되십시오.

6. **당신이 읽고 싶은 시를 쓰시기 바랍니다.** 당신의 입맛에

딱 맞는 시는 아무도 못 씁니다. 당신이 얼마나 까다로운지 당신이 잘 알지 않습니까? 당신은 다시 태어나도 너그러운 사람은 못될 것입니다. 장담합니다. 당신의 입맛은 짧고 별나고 못돼먹지 않았습니까? 그러니 방법이 없습니다. 당신이 읽을 시는 당신 스스로 당신 입맛에 맞게 쓰십시오. 톡 쏘는 걸 좋아하지 않습니까? 유연한 걸 좋아하지 않습니까? 선명한 걸 좋아하지 않습니까? 정직한 걸 좋아하지 않습니까? 절제된 풍요로움을 좋아하지 않습니까? 당신이 그렇게 쓰시기 바랍니다. 한번 써보시라고요.

7. 유행은 늦다는 것을 잊지 마십시오. 지금 유행하는 것은 '이전'의 결과물일 수밖에 없습니다. 그것을 최초로 내놓은 한 사람 외에는 다 무의미합니다. 유행은 순간입니다. 순간이 지나가면 급속도로 촌스러워집니다. 그러니 결코 유행을 따르지 마십시오. 당신은 그저 묵묵히 당신의 스타일을 지키십시오. 유행을 따르지 않아야 세련될 가능성이 있습니다. 최전방에서 걸어갈 가능성이 있습니다.

8. 몰입에 방해되는 일은 하지 마시기 바랍니다. 당신은 예민하고 나약한 사람입니다. 아직도 사춘기 같지 않습니까? 당신은 아이가 방학을 해도 창작에 몰두하지 못합니다. 환경에 영향을 지나치게 많이 받습니다. 당신도 알지 않습니까? 당신은

강인한 인간으로 성장하지 못했습니다. 인정하십시오, 김개미 씨. 그러니 강연 요청이 오면 적당한 핑계를 대서 거절하시기 바랍니다. 이런저런 모임도 멀리하시기 바랍니다. 그런 것들은 당신 능력 밖의 일입니다. 불안정한 당신이 감당할 수 있는 일이 아닙니다. 기진맥진해 아무것도 못하지 않습니까? 올해 들어 당신은 몇 차례 강연을 거절했습니다. 잘했습니다. 칭찬합니다.

9. **알파고를 생각하시기 바랍니다.** 머지않아 로봇이 시를 쓸 거라고 합니다. 아니, 벌써 소설도 쓰고 그림도 그립니다. 시를 쓸 로봇은 지금까지 문자로 기록된 모든 문학작품을 축적한 대단한 놈일 것입니다. 새롭게 조합하고 해체하며 피로를 모르고 학습하겠지요. 한 점 오류 없는 현란한 작품을 쓸 것이 분명합니다. 알파고가 이세돌과 바둑 두는 것을 목격하지 않았습니까? 정신 차리시기 바랍니다. 당신의 시마저 소화 흡수한 로봇입니다. 그런 로봇에 대응할 당신의 전략은 무엇입니까? 로봇이어서는 쓸 수 없는 시를 쓰시기 바랍니다. 완벽한 기술로는 쓸 수 없는 시를 쓰시기 바랍니다. 더욱 분투하는 인간이 되십시오.(기계를 만들어놓고 기계를 이겨야 하다니!)

10. **미학적인 판단을 게을리 하지 마십시오.** 자신의 시에 도취되어 앞을 못 보는 우를 범하지 마십시오. 당신의 시 앞에서

객관성을 유지하시기 바랍니다. 종이를 낭비하지 않았는지 냉철하게 판단하시기 바랍니다. 그렇고 그런 당신 시 때문에 죄 없는 나무가 쓰러져서는 안 됩니다. 그러려고 고독한 길로 들어선 것이 아니지 않습니까? 당신은 천하지만 당신의 시는 천하지 않을 수 있음을, 당신은 늙어가지만 당신 시는 늙어가지 않을 수 있음을, 당신은 사라지지만 당신 시는 소멸하지 않을 수 있음을, 믿으시기 바랍니다. 그러므로 부디 미학적인 시를

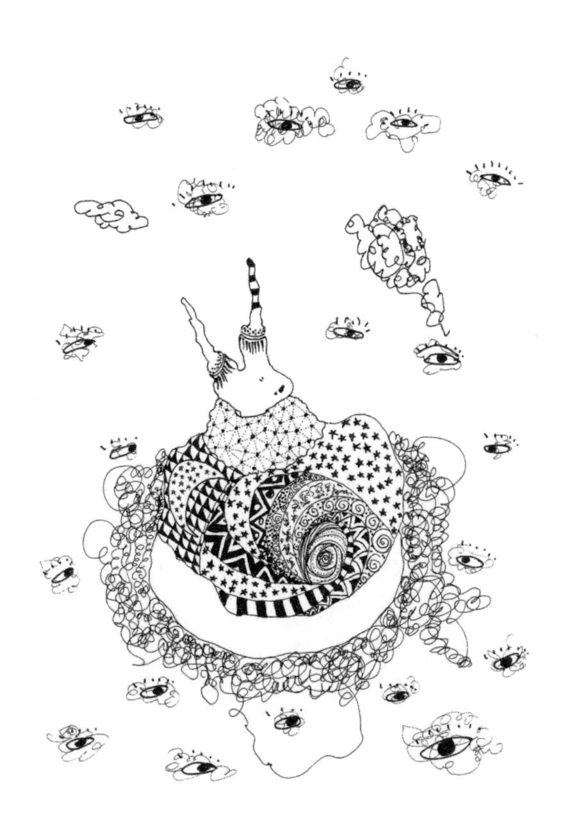

쓰시기 바랍니다. 미학적인 시만이 화학반응을 일으킬 수 있습니다.

김개미 씨, 다시 말하지만 오래오래 시를 쓰고 싶다면 이 처방을 꼭 지키시기 바랍니다. 그렇게 꾸벅꾸벅 졸지만 마시고 제발 정신 좀 차리시라고요!

제 2부

결국 애인은 유령이 된다

낮잠을 자고 일어났어요. 바람소리도 빗소리도 없이 비가 지나갔어요. 가벼운 비. 비가 오기 전보다 햇살이 더 눈부셔요. 이 세계가 조금 더 친절하고 차분해진 느낌이에요. 어디서 개 짖는 소리가 들려요. 오후 4시 41분. 저 개도 지금 혼자예요. 저 개가 몇 개의 벽을 뚫고 내게 달려온다면, 그렇게만 해준다면, 나는 저 개에게 이 세상에서 가장 친절한 사람이 될 수 있어요. 밥을 나눠먹을 수 있어요. 지금은. 지금은 그래요.

사실 이번 봄은 나에겐 좀 잔인합니다. 계절이 12번 바뀌는 동안 이런 이야기 저런 이야기를 함께 만든 사람이 있어요. 얼마 전 사소한 일이 있었고, 그때 알았어요. 때가 왔다는 것을요. 나는 함께 하지 못 하겠다 선포했고, 그는 수용했어요. 그러니 이번 봄은 그 없이 보내야 하는 거예요. 이 세상 모든 연인들에게 소리치고 싶어요. 봄에는 헤어지지 마세요! 봄은 이별하기에 적절하지 않아요!

이제 그는 나의 사람이 아니지만 나는 여전히 그가 걱정돼요. 봄이 오니까 더 걱정돼요. 여행을 좋아하는 그가, 자동차에

베개를 가지고 다니는 그가, 배낭 없이 길을 나서지 못하는 그가, 어디에서도 적응하지 못한 채로 적응하는 그가, 몸이 허약한 그가, 번번이 감정 조절에 실패하는 그가, 늘 돈이 부족한 그가, 나보다 더 연약한 그가, 손이 차가운 그가, 아, 정말 너무

도 걱정돼요. 그래도 전화하지 않아요. 걱정도 습관이에요.

그와 나는 가보지 않은 먼 나라 이야기를 했어요. 그 나라에 가서 무슨 일을 하면서 시간을 보낼지, 요리는 누가 할지, 돈은 어떻게 벌어야 할지, 아는 사람이라곤 둘 뿐인 데서 싸움을 하면 어떻게 화해할지, 한 사람이 아프면 어떡할지, 누가 시장에 가서 생선을 사 올지, 사온 생선은 누가 손질할지, 심지어 한 사람이 죽으면 남은 사람은 어떡할지…….

그는 걱정했어요. 내가 꿈꾸는 그토록 외진 시골에선 커피를 마실 수 없을지 모른다고, 치맥이 먹고 싶어 미칠 수도 있다고, 매연이 그리울 거라고, 영화가 보고 싶어 발작을 일으킬 거라고, 운전을 못하는 나 같은 사람은 아무 데도 갈 수 없다고, 그가 없을 때 집에 강도가 들면 어쩔 거냐고, 외국 강도는 외국 강도라서 내가 상상할 수 없는 방법으로 강도짓을 한다고…….

나는 그에게 여러 번 일러뒀어요. 밭을 어떻게 일구는지 알아두라고, 채소를 어떻게 가꾸는지 알아두라고, 산에 가서 나무를 해올 수 있어야 한다고, 약초와 버섯을 채취할 줄 알아야 한다고, 뱀을 맨손으로 잡아올 수 있어야 한다고, 사다리를 놓고 지붕에 올라가 지붕을 수리할 수 있어야 한다고, 지붕에 붙은 말벌집 정도는 아무렇지도 않게 처리할 줄 알아야 한다고…….

그와 나는 가보지 않은 나라에 수도 없이 갔다 왔어요. 하지 않은 일을 수도 없이 함께 했어요. 상상으로 상상도 못할 일들을 했어요. 남의 과수원에 들어가 사과 도둑이 되었어요. 거인의 정원에서 칸나를 캐왔어요. 길을 아는 말을 타고 풀밭을 달렸어요. 숲살이에 대해 불평하는 원숭이를 만났어요. 밤이면 나무에서 내려와 사람이 되는 새를 친구로 두었어요. 오직 그와 나만이 할 수 있는 이야기들……. 상처란 이야기가 남았기 때문에 생기는 거예요.

그가 가져온 세계 때문에 나는 여행하지 않아도 여행하는 자였어요. 그가 가져온 바람과, 그가 가져온 노래와, 그가 가져온 이야기와, 그가 가져온 냄새와, 그가 가져온 마을과, 그가 가져온 도시와, 그가 가져온 빵과, 그가 가져온 꿈과, 그가 가져온 계절과, 그가 가져온 바다와, 그가 가져온 밤과 낮. 이제 나에겐 그가 두고 간 세계가 있어요. 여행하지 않아도 오랫동안 여행할 수 있어요.

그는 육체를 가지고 오지 않아요. 내가 마음을 다 주었으므로 그는 살아서 유령이 되었어요. 내가 눈을 떠도 눈을 감아도

사라지지 않아요. 투명하게 웃고 화사하게 잔소리하며 내 삶에 달라붙어 있어요. 한 사람과의 이별이란 몇 번의 이별을 뜻하는 것일까요. 이별 후의 일이란 헤어진 자와 다시 만나는 일이에요. 다시 헤어지는 일이에요. 유령과의 이별은 가능하기는 한 걸까요.

모든 기억이 지워져도 나는 리셋되지 못할 거예요. 손가락 발가락 세포 하나하나에까지 그가 가져온 세계가 스며들어 있으니까요. 내가 하는 모든 생각, 내가 하는 모든 행동, 내가 하는 모든 상상은, 그가 내 세포 하나하나에 불어넣은 그의 세계와 닿아 있어요. 그러니 누가 누구를 완벽히 잊을 수 있겠어요? 잊을 수 있다는 말은 의식의 일일 뿐인걸요. 잊었다는 말은 언제나 거짓이에요.

산수유꽃이 터지고 매화가 오네요. 목련이 폭발하고 벚꽃이 번지네요. 바람이 온도를 높이고 벌과 파리를 데려오네요. 봄에는 참 많은 것들이 돌아오네요. 그래서 돌아오지 않는 존재가 더 절실해져요. 오후 내내 구름 뒤에서 누군가 구두를 신고 걸어 다녀요. 곧 밤이 올 거예요. 빛이라고는 고양이 눈알뿐인 밤이 계속된다 해도 모든 것이 다 치유될 필요는 없어요. 상처가 할 일이 있을 테니까요.

사랑도 일종의 아름다운 정신병*

내가 또다시 사랑에 빠지려는 모양이다. 설마…… 악몽이겠지. 여러 차례 고개를 저어보지만 결국 고개를 끄덕이고 만다. 내가 또다시 사랑에 빠지려는 모양이다. 아니, 사랑에 빠지는 중이다. 아 아니, 사랑에 빠졌다. 종일 이불속에서 둥지를 틀고 누워 있다. 눈동자를 달그락달그락 하며 한 가지 장면에 빠져 있다. 아무 일도 없는데 행복했다가 불행했다가 하고 있다.

그 사람은 오늘 아침 내가 눈을 뜨자마자 내 머릿속으로 문을 밀고 들어왔다. 내 머릿속에는 따스한 불빛이 쏟아지는 맥주 집이 있다. 그 사람은 창가에 앉아 있다. 저녁이다. 아침에도 저녁이고 저녁에도 저녁이다. 내 시계는 저녁밖에 모른다. 밖에는 소담스럽게 눈이 내리고 있다. 계속해서 눈이 내리지만 3cm의 두께를 유지하고 있다. 가로수들이 흰 나뭇가지를 자랑하고 있다.

나 말고 누가 그 사람을 알까? 나 말고 그 사람이 얼마나 좋은 사람인지 도대체 누가 알까? 아아, 알면 안 된다. 누구도 그 사람을 몰라야 한다. 그 사람은 치킨 한 마리와 500cc 두 잔을 주문했다. 환하게 웃는 그 사람. 웃음소리가 근사한 그 사람. 나와 잔을 부딪치고 나서 또 환하게 웃는 그 사람. 몸을 한 번 들썩이고 나서 또 환하게 웃는 그 사람. 무슨 말인가를 하고 또 환하게 웃는 그 사람. 내 말을 듣고 나서 또 환하게 웃는 그 사람. 눈이 내리는 한겨울 지하철역을 내다보고 또 환하게 웃는 그 사람. 고개를 끄덕이고 나서 또 환하게 웃는 그 사람. 맥주잔을 내려놓고 또 환하게 웃는 그 사람. 두 손을 깍지 끼고 또 환하게 웃는 그 사람. 자기 아버지 사진을 보여주고 환하게 웃는 그 사람. 끝까지 환하게 웃는 그 사람. 어쨌든 환하게 웃는 그 사람. 그 남자가 하도 환하게 웃어서 나도 밝은 사람인 것 같다. 그 빛이 줄곧 내게 비쳐서 나는 영원히 춥지 않을 것 같다. 그 사람의 웃음을 나 혼자 알고 싶다. 그 사람을 누구도 모르게 하고 싶다.

그 사람의 웃음 때문에 아무것도 못하겠다. 벌써 3일째다. 위험하다. 정말 아주 많이 진짜 엄청 위험하다. 다시는 사랑에 빠지지 않으려 했는데……. 그럴 수 있을 줄 알았는데……. 사랑 따위 참 우스웠는데……. 평범하다. 평범한 사람이다. 성실하게 자기 일을 하며 지금껏 살아온 사람이다. 그런데, 그건 다른 사람 생각이다. 그 사람은 특별하다. 이 세상에 딱 하나뿐인 사람이다. 다른 사람이 그걸 발견하지 못한 것뿐이다. 정말 다행이다. 그 사람은 나를 어린아이로 만든다. 웃게 만든다. 그 사람은 나를 어른으로 만든다. 여유를 갖게 한다. 그 사람은…

…. 그 사람을 생각하는 것만으로도 안심이 된다. 그게 그 사람의 가장 큰 능력이다.

사랑 때문에 힘들 때가 많았다. 그런데 또다시 힘들어지려 하고 있다. 아니, 힘들다. 그런데도 멈춰지지가 않는다. 머리는 멈추라고 하는데 마음이 말을 안 듣는다. 내가 내 말을 이렇게 안 듣다니……. 사랑이라는 이름의 괴물, 다시는 그 괴물의 먹이가 되지 않으려 했는데……. 나는 밥을 먹고 잠을 자고 물을 마시고 목욕을 하고 옷을 갈아입고 건강하고 젊은 처녀가 된다. 그리고는 나를 집어삼킬 괴물이 기다리는 곳으로 걸어간다. 나를 막을 수 있는 사람은 나뿐인데, 나는 나를 가장 못 막는다. 나는 그 사람에게 칭찬받을 일도 하지 않고 칭찬받기를 원한다. 나는 신도 아니면서 찬양받기를 원한다. 이 마음이 그 사람에게 전달되기를 원하고 동시에 원하지 않는다.

멍청하게도 나는 그 사람의 눈물을 돌보고 싶다. 내가 종일 이불을 덮고 죽은 사람처럼 누워 꼼짝도 안 하는 건 그 사람에게 달려가고 싶어서다. 아무것도 할 수가 없어서다. 나에게는 지금 그 사람이 시다. 그래서 나는 지금 시를 쓸 수가 없다. 동시에 두 편의 시를 쓸 수는 없으니까. 나에게는 지금 그 사람이 책이다. 그래서 나는 지금 책을 읽을 수가 없다. 한꺼번에 두 권의 책을 읽을 수는 없으니까. 나에게는 지금 그 사람이 텔레비전이다. 그래서 나는 지금 텔레비전을 볼 수가 없다. 동시화면으로 보기에는 그 사람이 나오는 채널이 너무 흥미진진하다. 나는 지금 슈퍼에 갈 수가 없다. 나에게는 지금 그 사람이 양식이다. 그 사람 말고 다른 걸 먹을 수가 없다. 나는 지금 아무 일도 할 수가 없다. 그 사람을 생각하는 것만이 내가 유일하게 할 수 있는 일이다. 나는 지금 산책을 나갈 수가 없다. 나는 지금 그 사람을 산책 중이다. 이곳에 있으면서 저곳에 있을 수는 없는 노릇이다. 나는 지금 그림을 그릴 수가 없다. 나는 지금 그 사람을 그리고 또 그려야 한다. 내 머릿속에는 온통 그 사람의 이미지뿐이다. 그 사람 한 사람만 무수하다. 다른 것은 없다. 나는 지금 그 사람과 다름없다. 나는 지금 그 사람 생각으로 이루어진 물질이다. 나에게서 그 사람을 빼면 나는 물 한 방울 남지 않을 것이다.

어마어마한 한파가 몰려왔다는데, 사람들이 춥다고 떠들어대는데, 세상이 꽝꽝 얼었다는데, 뉴스에서 얼어 죽은 사람들 이야기를 하는데, 나는 그런 일과 도무지 상관이 없다. 그건 정말 먼 나라 이야기다. 내가 사는 세상이 아니다. 나는 조금도 춥지 않다. 춥다니? 나의 감각은 추위를 느낄 수 없다. 심장에 압박이 계속되고 있다. 행복하고 동시에 불행하다. 너무도 강력하게 살아있어서 죽을 것만 같다. 유종인 시인은 사랑도 일종의 아름다운 정신병이라 했다. 감당할 수 없이 예민하게 살

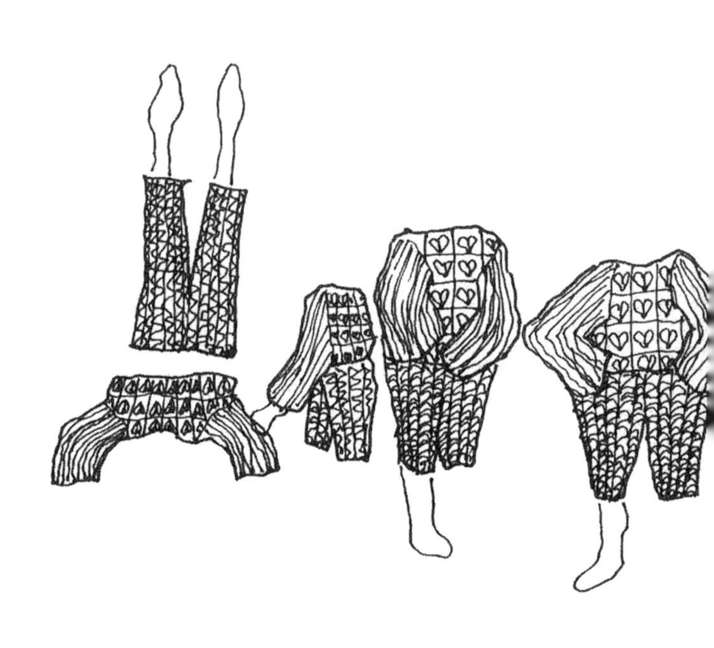

아있음. 무엇도 손에 잡히지 않는 들뜸. 그래, 이게 정신병이 아니고 무엇이랴.

그 사람에게서 메시지가 온다. 나는 세 줄짜리 인사말에서 엄청난 말들을 끌어낸다. 그 사람이 나를 사랑한다는 것, 그 사람이 나를 보고 싶어 한다는 것, 그 사람이 지금 내 생각을 한다는 것 등……. 어디에도 그런 말은 없지만 또 분명 그런 말이 있다. 나도 안다. 지금 나는 과대망상증 환자라는 것. 그 사람이 어떤 메시지를 보내와도 고백의 언어를 도출해 낼 거라는 것. 사랑의 농도가 이대로 하루만 더 지속된다면 나는 큰 병이 나고 말 것이다. 사실 나는 지금도 위독하다. 분명 나는 내일 죽을 것이다.

간신히 샐러드 두 젓가락을 먹고 사과 1/4쪽을 먹는다. 밥은 삼키지도 못하겠다. 토할 것 같다. 살고 싶다. 살고 싶다. 잠시만 이 사랑을 피해 무사히 살아있고 싶다. 맥주 집 창밖에 내리는 눈이 되고 싶다. 눈사람이 되고 싶다. 심장이 없고 싶다. 마음이 없고 싶다. 지능이 없고 싶다. 피가 없고 싶다. 생각이 없고 싶다. 기억이 없고 싶다. 어제가 없고 싶다. 지금이 없고 싶다. 몸이 없고 싶다. 생명이 없고 싶다. 내가 없고 싶다.

불행해서 미칠 것 같다. 방금 전까지 찬란하던 세상은 온데

간데없다. 그 사람은 나를 사랑하지 않는다. 확실하다. 그 사람은 그저 친절했던 것뿐이다. 그 사람은 그저 인사를 했던 것뿐이다. 세상이 우글쭈글하다. 나는 내 한숨에 묶여 빠져나오지 못한다. 이게 나다. 이토록 멍청한 멍청이. 똥멍청이. 정신 차리자. 제발 좀 정신 차리자. 내가 나에게 명령한다. 내가 나를 뜯어말린다. 내가 나를 혼낸다. 무대에 안 올라가서 그렇지 나는 배우다. 모노드라마에 캐스팅되었다. 막 사랑에 눈뜬 순결한 처녀 역을 맡았다. 그 역할은 내 것이 아니라서 오늘도 나는 소화하기 어렵다. 내가 나에게 이렇게 가혹해도 될까.

---

*유종인의 시 「風景 속의 入口」 중

꼬끼오 골목의 초궁정 난쟁이 인간

나는 아무것도 궁금하지 않습니다. 꼬끼오 골목 밖에서 일어나는 일은 나와는 상관이 없습니다. 나는 여기 난쟁이 골목에서도 제일 작은 난쟁이로 살고 있으니까요. 제일 작은 난쟁이 중에서도 투명한 난쟁이로 살고 있으니까요. 투명한 난쟁이 중에서도 조용한 난쟁이로 살고 있으니까요. 나를 알아보는 것은 아침 햇살을 눈동자 가득 채운 참새와 비둘기, 그리고 창문 밖의 거미입니다.

눈이 작다고 시력이 나쁜 것은 아닙니다. 나는 난쟁이 눈으로 난쟁이 마을을 구경합니다. 난쟁이 일꾼들이 땀을 뻘뻘 흘리며 난쟁이 집을 짓습니다. 난쟁이 노래를 부릅니다. 난쟁이 노래는 아무리 커다랗게 불러도 난쟁이 골목을 벗어나지 못합니다. 난쟁이 일꾼들이 연기를 피워놓고 뭔가를 태웁니다. 목에 수건을 두르고 벽돌을 쌓습니다. 휴식 시간에는 다른 행성의 난쟁이 가족들에게 전화를 합니다.

나는 이제 소리 지를 일이 없습니다. 화낼 일이 없습니다. 싸울 일이 없습니다. 미워할 일이 없습니다. 심장이 굳어서 그런 것은 아닙니다. 내 옆에는 내가 있을 뿐인데, 도무지 나는 나에게 화가 나지 않습니다. 내가 나와 둘이 있을 때는 내가 나에게 잘못하지 않기 때문입니다. 내가 나에게 잘못할 때는 내가 나 아닌 누군가와 함께 있을 때입니다.

냉동실에 누가바, 비비빅, 호두마루, 아맛나, 메가톤바를 사다가 넣습니다. 5가지 아이스 바 중에서 무엇부터 먹을까 고민합니다. 먼저 비비빅을 먹습니다. 비비빅이 없을 때도 비비빅을 찾습니다. 그게 제일 맛있으니까요. 왜 이것저것 갖다 넣고 고민을 하느냐 하면, 그러는 게 즐겁기 때문입니다. 나는 큰 즐거움을 원하는 게 아니라, 즐거움을 원합니다. 장외 홈런이 아니라 홈런을 원한다고요.

이 골목엔 나를 아는 사람이 없습니다. 그래서 내가 난쟁이가 될 수 있는 것입니다. 나는 아이들 몰래 아이들의 자전거를 타봅니다. 줄넘기를 만져봅니다. 아이들이 못 듣도록 작은 소리로 아이들 말투를 흉내 내봅니다. 아이들 노래를 따라 해봅

니다. 아이들은 나한테 뭐라 하지 않습니다. 나는 투명하고 조용한 난쟁이니까요. 키가 점점 줄어 어느새 나는 풀보다 작습니다. 가끔 개보다 작습니다.

작아지니까 살아있다는 느낌이 강해집니다. 코는 냄새를 더욱 잘 맡고 귀는 소리를 더욱 잘 듣습니다. 피부는 여름에도 어딘가에 숨어 있는 겨울 한 점을 찾아내 추위를 느낍니다. 생명체는 작을수록 감각이 살아나나 봅니다. 그렇다면 부러진 연필심만 한 애벌레는 얼마나 강력하게 살아있는 것일까요? 나도 강력하게 살아서 살아있는 백일홍을 봅니다. 살아서 꽃이 아무리 오래 핀다 해도 잎사귀와는 달라서 금방 간다고 생각합니다.

이제 나는 불쌍하지 않습니다. 이곳에는 나를 아는 사람이 없으므로 불쌍해질 이유가 없습니다. 나는 사람보다는 흙 묻은 돌멩이, 마른 나뭇가지, 매미가 벗어 놓은 허물, 수풀 속의 쓰르라미를 좋아합니다. 그들과 친합니다. 때로 나는 내가 무엇인지 궁금합니다. 나는 그저 숨 쉬는 생물, 늦여름 더위를 이겨낸 작고 신비로운 맥박, 거미줄에 붙은 이슬 한 방울의 무게인 것입니다.

온몸으로 바람을 느낍니다. 요즘은 하늘을 관찰하는 버릇이 생겼습니다. 아침노을의 여운을 오전 내내 음미합니다. 나는 구름의 쇼에 초대된 1인 관객입니다. 창가에 서서 커피를 마십니다. 새털 같이 돋은 구름을 봅니다. 구름은 움직이면서 나를 잡아끕니다. 컵을 창틀에 올려놓고 박수를 칩니다. 구름은 배우, 나는 살짝 미친 관객입니다. 시간의 흐름과 계절의 변화, 이것이 중요합니다. 끝없이 나를 황홀하게 만듭니다.

때로 나는 메타세콰이아 아래 한 시간도 넘게 앉아 있습니다. 네, 아무것도 하지 않고요. 나는 연못가 돌 틈의 흰 비비추에게 노래를 불러줍니다. 연못 속의 잉어에게 인사를 합니다. 나는 필요한 것도 없고, 필요할 필요도 없습니다. 나는 그저 작은 생물입니다. 발견된 적 없는 곤충인지도 모릅니다. 세상이 이토록 놀라운 것으로 꽉 차 있다니……. 나는 오늘 아침에 태어난 것인지도 모르겠습니다.

사인펜에서 끌려 나오는 젖은 빨강과 젖은 파랑과 젖은 노랑에 매혹됩니다. 몇 년 전에 사 두고 쓰지 않은 볼펜에서 여전히 선명한 까망과 선명한 파랑이 나오는 것에 환호합니다. 어둠 혹은 가난의 냄새와도 닮은 연필 냄새를 오래 맡습니다. 천천히 연필을 깎으며 소리를 듣습니다. 갑각류가 탈피를 할 때 이런 소리가 날까요? 긴 원기둥을 깎으면 길고 가는 원기둥이 나옵니다.

창밖으로 지나가는 새들의 날갯짓에 경탄합니다. 새들이 지나갈 때는 창문을 닫아두어도 방 안의 공기가 바뀝니다. 창문을 조금만 열어두면 날갯짓 소리가 들립니다. 힘차다는 말로는 부족한 새의 날갯짓 소리는 나룻배 노 젓는 소리와 비슷합니다. 그러나 그것은 관절과 관절이 부딪혀 닳으면서 나는 소리입니다.

끝없는 시간의 풍요, 나는 넘치는 나의 시간을 나만을 위해서 씁니다. 나는 지독히 이기적인 인간이니까요. 아무것도 하지 않고 멍하니 앉아 바람에 흔들리는 나뭇가지를 몇 시간씩 바라봅니다. 아무것도 하지 않는 것이 시간을 잘 쓰는 방법 중 하나라 여깁니다. 아무것도 하지 않는 것은 사람에 따라서는 생각보다 어려울 수도 있습니다. 시간을 어쩌지 못해 병에 걸리기도 하지요.

일하지 않아도 되는 상황이면 일하지 않는 것이 미덕이라는 생각에 빠집니다. 굳이 일하면서 자신을 괴롭히고 남의 일자리까지 빼앗는 것은 미련하다는 생각에 빠집니다. 나쁜 일자리를 만드는 일에 기여하는 것이라는 생각에 빠집니다. 일은 일일뿐 대단한 게 아닙니다. 나도 일해 봐서 압니다. 놀아야 할 때를 알고 잘 노는 것이 중요합니다. 나는 지금이 놀 때입니다. 나는 부자가 되기 위해 이 세상에 오지 않았습니다.

나는 여행이 귀찮습니다. 생각만 해도 스트레스가 쌓입니다. 나는 서울에도 잘 안 나가고 꼬끼오 골목 안에서만 왔다 갔다 합니다. 꼬끼오 골목의 고양이들과 꼬끼오 골목의 아이들, 꼬끼오 골목의 구름이 나의 이웃입니다. 그들은 나를 잘 모르지만 그들은 어느 정도 나의 고양이들이고, 나의 아이들이고, 나의 구름입니다. 또한 나는 어느 정도는 고양이들의 사람이고, 아이들의 사람이고, 구름의 사람입니다.

나는 꼬끼오 골목에서 조용한 투명 난쟁이로 사는 것이 즐겁습니다. 나는 '무엇'이 되지 않아도 됩니다. 나를 '나'로 알지 않아도 됩니다. 나무에서 우는 어치를 '어치'로 알지 않아도 됩니다. 질서는 중요하지도 필요하지도 않습니다. 혼자이기 때문에 나는 촌에 살지만 촌스럽지 않습니다. 못생겨도 못생기지 않았습니다. 늙었어도 늙지 않았습니다. 혼자 있어도 은둔적이지 않습니다.

이 작은 골목은 나에게 충분히 큽니다. 내가 매일매일 더 작은 난쟁이가 되어가고 있으니까요. 집에 『어린 왕자』가 있지만, 『어린 왕자』를 또 사야겠습니다. 『어린 왕자』같이 좋은 책은 『어린 왕자』 밖에 없으므로 다른 데서 나온 『어린 왕자』를 읽어야겠습니다. 약간 다르고 많이 비슷한 이야기를 또 읽고 싶기 때문입니다. 아, 오늘도 기차가 지나갑니다. 난쟁이 책상의 난쟁이 연필을 흔들면서요.

그 애와 나랑은

오후에 정원이와 통화를 하고 책을 보다 잠깐 옛날 생각을 한다.

정원이는 고등학교 적 친구. 말수가 적은 아이였다. 같은 반이었던 적은 없지만 도서실에서 늘 내 맞은편이나 옆에 앉았다. 정원이는 잠이 많았다. 어쩌면 잠이 아니고 졸음이 많았을 수도 있다. 그 애가 자는 걸 본 적은 없으니까. 내가 영어 단어를 외우다 고개를 들면 정원이는 졸고 있었다. 수학 문제를 풀다 고개를 들면 또 졸고 있었다. 화장실을 갔다 와 보면 또 졸고 있었다. 그 애는 밤에 무엇을 할까. 공부를 한다기엔 성적이 그걸 증명하지 못했다. 정원이는 언제나 둘 중 하나였다. 졸거나 걸어가거나.

춘미 언니랑 정원이 자취방에 놀러 간 적이 있다. 그때 거기 가서 뭘 했는지 뭘 먹었는지는 하나도 기억나지 않는다. 다만 정원이 방에는 카세트가 있었고, 카세트테이프가 수두룩했다. 정원이는 밤새 음악을 들었던 걸까. 정원이는 그날 무슨 말을 했을까. 정원이는 아무 말도 안 했던 것 같다. 주로 춘미 언니랑 내가 떠들다가 온 것 같다. 그럼 춘미 언니랑 나는 대체 정원이 방에 왜 놀러 간 걸까. 기억나는 건 그날 정원이가 직접 녹음한 카세트테이프를 나한테 주었고, 나는 가끔 그걸 들었다는 것뿐이다.

정원이는 지하철로 한 정거장 떨어진 곳에 산다. 정원이와 저녁을 먹기로 하고 잠깐 정원이를 생각한다.

하루는 창욱이가 책상에 나를 앉혔다. 그리고는 심각한 얼굴로 말했다. 야, 너 너무 그러지 마라. 내가 정원이 친구로서 말하는데, 웬만하면 걔 마음을 받아주는 게 어떠냐? 걔 요즘 공부도 못하고 정신 못 차려. 그러다 걔 영 딴 길로 가면 너 어쩌려고 그래? 나는 그때 정원이가 나를 좋아한다는 사실을 처음 알았다. 그리고 신경질이 났다. 창욱이 너 이 자식, 미친 거냐? 너는 정원이 친구이기도 하지만 내 친구이기도 한데, 왜 정원이 편에 서서 얘기하냐?

창욱이 말도 있고 해서 한번은 정원이를 만나기로 했다. 나도 정원이에게 할 말이 있었다. 토요일이었고, 저녁 5시쯤 되었을 것이다. 정원이가 슬금슬금 다가왔다. 다가와서 나를 빤히 바라볼 뿐 아무 말도 하지 않았다. 나는 정원이를 앉으라고 한 다음 말했다. 미안하지만 나는 너를 좋아하지 않아. 너는 그냥 친구 중 한 명일뿐이야. 너나 창욱이나 병준이나 나한테는 똑같아. 특별하게 생각되지 않아. 내 마음이 그러니 너도 마음 정리하고 공부 열심히 해서 좋은 대학 가길 바라. 나는 꽤 당차고 뻔하게 내 마음을 전했다.

7시 조금 넘어 도착할 거라는 정원이의 전화를 받고 또 정원이를 생각한다.

여름 방학이었고, 희망하는 사람에 한해 보충 수업을 했다. 고3 담임 중에 제일 막내인 화학 선생님이 보충 수업반의 담임이었다. 화학 선생님은 노래를 좋아해서 종례시간에 종종 악보를 나눠주고 다 함께 노래를 부르게 했다. 화학 선생님이 나눠준 악보 중에 이장희의 "그 애와 나랑은"이 있었다. 화학 선생님은 노래를 아는 사람 손들라 했고, 정원이가 손을 들었다. 화학 선생님은 정원이에게 선창을 시켰고 나머지 애들은 따라하게 했다. 그때 나는 깜짝 놀랐다. 졸기만 하는 애가 노래를 하다니……. 정원이 목소리가 떨렸다. 그때 왜 나까지 얼굴이

붉어졌는지 모르겠다. 놀리기 좋아하는 애들이 가끔 내 코앞에서 그 노래를 불러 나를 독이 바짝 오르게 만들기도 했다.

정원이와 밥을 먹는다. 정원이가 함박 스테이크를 썰며 말한다.

너 왜 옛날에 등촌동에 있었잖아. 나 그때 신월동에 있었다. 등촌동이랑 신월동, 그렇게 멀지 않아. 내가 서울 올라와서 아는 사람이라고는 목동에 있는 할머니하고 너뿐이었어. 회사 갔다 오면 방에 처박혀 음악 듣고 비디오 빌려다 보고 그랬어.

주말에는 목동 할머니댁에 가고. 우리 서울에서 한 번 만났잖아. 그때 우리 왕돈가스 먹었었다. 나는 네가 서울에 있는 게 그렇게 좋더라. 네가 등촌동에 있다고 생각하기만 해도 좋았어.

이 얘기를 너한테 하게 될 줄은 몰랐는데, 사실 나 등촌동에 몇 번 갔었어. 꼭 너를 만나려고 갔던 건 아니야. 네가 거기 있으니까 그냥 간 거였어. 수도병원 위병소 앞에 잠깐 서 있다가 근처에서 점심 먹고 돌아왔어. 그때는 연락하기도 힘들었잖아. 휴대폰도 없던 시절이고. 또 넌 군대에 있었으니 전화를 해도 통화하기 힘들고. 하여튼 그 근처에 가서 그냥 한두 시간 정도 있다가 왔어. 네가 거기 있으니까……. 그냥 그러는 게 좋았어.

정원이는 함박 스테이크를 먹으면서 또 말한다.

그때 기억나니? 네가 아프다고 해서 내가 계란 삶고 샌드위치 만들어서 너 갖다 줬잖아. 그때 병준이가 나한테 막 뭐라 그랬었어. 걔가 뭐라고 네가 그런 거 갖다 바치냐고. 걔는 너 하나도 안 생각해. 걔가 네 마음을 아는 척도 안 하는데 너는 도대체 왜 그러냐고. 왜 남자 망신 혼자 다 시키고 다니냐고. 병준이는 그렇게 얘기했는데, 나는 그러는 게 좋더라. 계란 삶는 것도 좋고. 샌드위치 만드는 것도 좋고.

난 지금도 좋아. 여전히 네가 좋아. 너 보면 내가 딱 열몇 살인 것 같아서 좋아. 내가 아직 계란 삶고 샌드위치 만드는 옛날의 나 같고, 너는 여전히 나를 모른 척하던 너 같고. 내가 지금 직원들 49명 데리고 청바지 만들고 있지만, 너한테는 영업 안 해도 돼서 좋아. 너 만나면 술 안 마셔도 돼서 좋아. 너 만나면 예의 차리지 않아도 돼서 좋아. 물론 내가 예의는 발라서 예의 안 차리지는 않지만…….

말 없던 정원이는 이제 말을 잘한다. 나보다 더 잘한다. 성수 얘기가 나온다. 성수가 보고 싶다고 해서 내가 한마디 한다.

성수? 걔 뺀질거렸지 않나? 아, 아닌가. 나도 성수 보고 싶다. 졸업하고 통 못 봤어. 옛날에 나 이사할 때 성수가 도와줬는데……. 비가 추적추적 오는 날이었는데, 저녁 먹고 나니까 성수랑 광희랑 어디서 리어카를 빌려 왔더라. 그때 성수랑 광희랑 둘이서 내 자취방에 있던 물건 다 리어카에 실어서 이사해 줬어. 야, 근데 너 그때 왜 도와주러 안 왔냐? 좋아한다는 애가 어떻게 그럴 수가 있냐?

정원이가 피클을 집어먹다가 피식 웃는다.

미안해. 그때 난 너 이사하는 것도 몰랐어. 알았으면 갔지 안

갔겠냐? 알기만 했으면 네가 열 번 이사하면 열 번 갔고, 백 번 이사하면 백 번 갔지. 근데 너 청바지 몇 입어? 네 딸은? 정원이랑 나는 포천에 있는 연수 얘기를 하고 조만간 연수랑 셋이서 만나 소주 마실 계획을 세운다. 손톱 밑에 청색 물이 든 정원이와 악수를 한다. 정원이는 차에 타기 전에 소리친다. 29? 28?

풀보다
작은 아이

나는 이쪽 산자락에 재규는 저쪽 산자락에 살았다. 작고 빠른 재규. 머리가 짧은 재규. 눈이 동그란 재규. 우리 집 마당에 햇살이 비칠 때면 재규네 집에도 햇살이 비치나 궁금했다. 우리 집에 눈이 오면 재규네 집에도 눈이 오나 궁금했다. 우리 집 굴뚝에서 연기가 나면 재규네 집에서도 연기가 나나 궁금했다. 그래 봤자 재규는 보이지 않았다. 재규는 풀보다 작았다.

학교가 끝나면 재규랑 돌아왔다. 둘 다 말이 없었지만, 둘이 있으면 둘 다 수다쟁이였다. 크면 어떤 사람이 되고 싶은지, 좋아하는 과목은 뭔지, 어젯밤에 무슨 괴물을 만났는지, 북두칠성이 어디쯤 뜨는지 떠들었다. 늘 손을 잡고 다녔다. 길가의 자갈을 찰 때도, 도랑가의 개구리를 볼 때도, 소나기가 머리를 때릴 때도, 높이 떠가는 비행기를 올려다볼 때도.

하루는 눈이 펑펑 왔다. 눈은 벌써 발목까지 쌓여 있었다. 재규가 갑자기 신발을 벗어 들고 소리쳤다.

"난 맨발로 눈밭을 뛰는 게 재밌어!"

재규는 신발을 높이 쳐들어 보인 다음 달리기 시작했다. 저만큼까지 뛰어갔다가 내 앞으로 뛰어오고 또 저만큼까지 뛰어갔다가 내 앞으로 뛰어왔다. 몇 번 하다 말 줄 알았는데 계속해서 그랬다. 덕분에 내 앞에는 눈이 치워진 길이 생겼다. 나는 그 길을 따라 걸으며 눈 내리는 개울을 구경했다. 금방이라도 주저앉을 것 같은 덤불과 흰옷을 입고 커진 찔레 열매, 북극곰처럼 변한 바위들, 평소에는 안 보이던 새와 쥐의 발자국, 그리고 고개를 들면 나를 향해 쏟아지는 새의 깃털 같은 눈, 눈, 눈…….

재규는 갈림길에 올 때까지 계속해서 뛰어갔다가 뛰어왔다를 반복했다. 이마는 땀이 방울방울 맺혀 있었고, 볼은 붉게 달아올라 있었다. 재규가 숨을 몰아쉬며 말했다.

"발이 간질간질해서 좋아!"

그 애가 전학 가고 나서도 시간이 흐르고 흘러 어른이 되어서야 나는 그날의 재규를 이해할 수 있었다. 들키지 않고 눈을 치워주려는 그 애만의 방식! 아, 나 참 멋진 친구를 두었다. 풀보다 작은 그 아이를 생각하면 고맙다는 말, 따뜻하다는 말은 너무도 작다.

제3부

살아있다 오버

내가 살아있나 궁금하다. 찬물을 한 컵 마시고 아무 데나 낙서를 한다. 그림을 그린다. 내가 쥔 연필이 흔적을 남긴다. 살아있다. 아무도 내 이름을 부르지 않아도 나는 살아있다. 겨울엔 유리창에 입김을 불고 낙서를 한다. 사람 얼굴을 그린다. 내 손가락이 흔적을 남긴다. 살아있다. 죽은 것 같지만 나는 살아있다. 오래전부터 나는 그림을 그리거나 낙서할 데가 필요했다. 절실했다.

내 할아버지는, 인제군 지명유래사전에 나온다. **'좌절한 동굴탐험가 김순봉 씨'**가 내 할아버지다. 할아버지는 호기심이 많았다. 늘 어딘가로 가고 싶어 했다. 노을이 지고 어둑어둑한 저녁 피투성이가 된 할아버지가 마당에 들어서는 것을 본 적이 있다. 할아버지는 호기심이 이끄는 대로 길 아닌 곳으로 들어섰던 것이리라.

나는 할아버지에게 글을 배웠다. 시렁 위에 쌓여 있던 누런 책이 아직도 눈에 선하다. 펼치면 붓으로 쓴 빽빽한 글씨. 대숲에 들어와 혼자 서 있는 느낌이 들곤 해서 얼른 덮곤 했다. 할아버지에게도 노안이 찾아왔고 책 읽어줄 사람이 필요했다. 덕분에 나는 동네에서 제일 똑똑한 아이가 되었다. 초등학교에 입학해서야 한글을 배우던 시절이었는데 다섯 살밖에 안된 아이가 신문을 줄줄 읽으니 천재가 분명했다. 내가 신문 읽는 모습을 구경하러 오는 사람도 있었다. 할아버지는 특히 윗집 귀머거리 영감에게 나를 자랑했다. 곰방대로 문지방을 두드리며 웃다가는 기침이 와서 한 번씩 눈물을 짜내곤 했다.

나는 나가 놀고만 싶었다. 내용을 알 수 없는 책 읽기는 세상에서 제일 재미없는 일 중 하나였다. 내가 지루해하자 할아버지가 꾀를 냈다. 책을 다섯 장 읽어줄 때마다 편지지를 한 장씩 주겠단다. 당장 할아버지의 제안을 받아들였다. 그 때 나는 글씨를 쓰거나 그림을 그리려면 문풍지를 뜯어내야 했다. 편지지를 얻어내기 위해 『장길산』 『임꺽정』 등을 여러 번 읽었다. 내가 발이 저려 코에 침을 묻히기 시작하면 할아버지는 마루로 나가 송판 하나를 들어냈다. 그 밑에 할아버지의 비밀금고가 있었다. 배가 시리도록 마루에 엎드려 할아버지를 지켜보았다. 저 안에 뭐가 있을까. 무시무시한 괴물이 손을 뻗어 할아버지를 확 낚아채가지 않을까. 수염 한 줌만 덜렁 남고 할아버지는 감쪽같이 사라지지 않을까. 내가 겁을 먹기 시작할 무렵 할아버지는 돌계단을 올라와 내 앞에 편지지를 내밀었다. 거미줄에 걸린 나방처럼 온몸에 주렁주렁 거미줄을 달고서.

저녁마다 할아버지는 편지지를 검사했다. 효자손으로 등을 닥닥 긁으며 내가 편지지에 쓴 글씨를 읽고 그림도 자세히 들여다보았다. 나는 침을 꼴깍꼴깍 삼키며 할아버지의 칭찬을 기다렸다.

잊고 싶어도 잊지 못하는 일. 잊어서는 안 되는 일. 내 엄마였고 아빠였고 선생님이었고 친구였고 세계였던 할아버지를 너무너무 사랑해서 나는 참 힘들었다. 내 나이 여덟 살 때 할아버지가 돌아가셨는데, 고등학교를 졸업할 때까지 하루도 울지 않은 날이 없었다. 그리움이란 것이 나를 몹시 힘들게 했다. 어른이 되어서야 알았다. 그토록 긴 슬픔은 치료가 필요하다는 것을.

시간은 흘러 나도 어른이 되었다. 글을 쓰게 되었다. 할아버지가 다시금 내 삶에 들어왔다. 글을 쓸 때마다 할아버지를 느낀다. 종이를 살 때마다 거미줄을 주렁주렁 달고 올라오는 할

아버지를 만난다. 지금도 할아버지는 내 피부 바로 아래에서 돌계단을 딛고 올라온다. 옛날처럼 글과 그림을 봐준다. 나는 눈이 침침한 할아버지를 위해 내 글을 여러 번 읽어준다. 여전히 내 할아버지인 할아버지가 내 맞은편에 앉아 눈을 감고 내 목소리를 듣는다. 더러 괜찮은 글을 읽어주면 웃는다. 웃다가 찔끔 눈물을 짜기도 한다. 얼마나 안심이 되고 행복한지……. 글쓰기를 그만두지 못하는 이유다. 할아버지와 함께 하는 느낌, 에너지가 무한히 고양되는 느낌. 나는 항상 그 상태이고 싶다.

지금도 며칠에 한 번씩은 할아버지를 그리워하며 운다. 알 수 없는 따뜻함, 끝없는 안도감, 영원한 내 편이 있다는 충만함 같은 것 때문에도 운다. 막 바람에 날리는 할아버지의 길고 흰 수염을 만지고 돌아선 것 같은 느낌이다. 다른 사람들도 내 할아버지 같은 할아버지가 있나. 그럴 리가 없다. 내 할아버지는 오직 내 할아버지뿐이다.

시간 : 8월 17일 밤 10시 13분

준비물 : 큰 돌멩이 1, 작은 돌멩이 1

숲으로 갔다 오버

혼자였다 오버

나뭇가지에 앉아 있었다 오버

뚝 떨어졌다 오버

베개를 업어 재웠다 오버

자장가를 불러 줬다 오버

나도 누군가에게 업혀

자장가를 듣고 싶었다 오버

인형 옷을 만들었다 오버

바늘에 찔렸다 오버

별로 아프지도 않은데

오래 울었다 오버

들리는가 오버

들리면 제발,

우리 할아버지

한 번만 바꿔 줘라 오버

—「별에 무전을 친다」 전문(『커다란 빵 생각』 2016, 문학동네)

아홉 권의 책을 냈다. 곧 열 번째 책도 출간할 예정이다. 책 한 권 한 권은 별에 사는 할아버지에게 보내는 무전이다. 오늘도 내가 살아있나 궁금하다. 할아버지를 생각한다. 가슴속에 온기가 핀다. 살아있다. 아무도 나를 궁금해 하지 않아도 나는 살아있다 오버.

작은 소리 하나에서 공상은 시작돼

방에 누워 있으면 소리가 들려. 소요산을 넘어온 구름이 모양을 바꾸는 소리, 기차 레일이 팽팽하게 당겨지는 소리, 길 건너 주유소에서 기름 넣는 소리, 중화요리점 미각에서 돼지고기 튀기는 소리, 지행역 앞 컨테이너 박스 안에서 구두 닦는 소리, 사거리 도넛 가게에서 커피 뽑는 소리, 큰 시장 안에서 뻥 부푸는 소리……. 그러나 그런 것들은 문 밖에서 나는 소리야. 나하고는 다른 시간을 살아가는 사람들의 소리야.

나와 같은 시간을 살아가는 생명체들은 문 안에 있어. 나와 아주 가까이 내가 머무는 곳에. 나처럼 오롯이 혼자서. 나와 떨어져 나와 함께. 그것들은 일정한 반경 안으로는 들어오지 않아. 그렇다고 멀리 가지도 않아. 우린 투명한 실을 한 가닥 잡고 있어. 이쪽은 내가 다른 쪽은 그것들이. 실의 길이는 3m 내지 5m. 어느 한쪽도 실을 놓지 않아. 늘 팽팽해. 그것들은 대부분 내가 아직 확인하지 못한 것들이야. 가까이 있는 것들은 정체를 숨기기 일쑤라니까.

그것들은 어떨까. 아주아주 짧은 날을 살다 죽는 작고 작은 생명체도 자기 자신이 지겨울 때가 있을까. 자신들이 자신들인 것이 마음에 들까. 자신들의 모습이 좋을까. 매일매일 새롭게 해가 뜰까. 병이 나기도 할까. 기다릴 줄도 알까. 누굴 죽일 수도 있을까. 더러 자살을 하기도 할까. 무엇으로 그렇게 할까. 아, 나는 40년도 넘게 사람으로 살았는데 사람으로 사는 것이 아직도 어색해. 여전히 적응이 안 돼. 나는 진짜 돌이야.

생명체들의 섬세한 움직임. 그것들은 욕실에서 자신들의 존재를 알려와. 어떤 때는 주방일 때도 있고, 또 어떤 때는 내가 누워 있는 방일 때도 있어. 그것들의 다리는 사람의 손에 의해 부러지기 쉽고, 몸통에는 명주실보다 가느다란 금빛 솜털이나 있을 거야. 무게는 거의 나가지 않고, 자기 자신을 지휘하는 근사한 더듬이가 있을 거야. 아직 인간이 발견한 적 없는 색깔로 얼굴을 치장하고 있을 거야. 그것들이 어떻게 내 주파수를 찾아냈을까.

내가 그것들의 세계에 가서 살게 된다면? 곧 죽을 테지. 그것들처럼 그늘지고 습한 곳에서 숨죽여야 할 테니까. 조그만 눈을 크게 치켜뜨고 거대한 적을 밤낮으로 살펴야 할 테니까. 다른 사람의 말과 의견 생각을 좀처럼 받아들이지 못하는 나 같은 존재는 가고 싶은 곳으로 가려 할 테고 결국 인간의 눈에 띌 테니까. 나는 아무리 작아져도 소용없어. 고집쟁이 벌레의 일은 제일 먼저 죽는 일이야.

내 그림자는 너무 두껍고 무거워. 벽에 기대 방바닥에 떨어진 햇살에 발을 넣어. 담배 생각을 해. 담배를 피우고 나면 골

치 아픈 일이 원만히 해결될 것 같아. 글을 쓸 좋은 소재가 떠오를 것 같아. 사실 나는 담배를 피우지 않지만 종종 담배를 피우고 싶어 안달이 나. 그런데도 내가 담배를 피우지 않는 건 담배를 피우고 나서도 여전히 골치 아픈 일이 골치 아픈 채로 남아 있을까 봐 두려워서야. 담배를 피우고 나서도 여전히 글 쓸 거리가 없을까 봐 무서워서야.

막 철다리 위로 미군 헬기가 날아가. 소리도 소리지만 진동이 와. 이럴 때 벌레들은 어떨까. 그것들의 머리에 달린 더듬이는 기우뚱거리는 공기 벽에서 어떻게 길을 찾아낼까. 리라 어린이집 앞으로 트럭이 지나가. 갑자기 어린이집 벽에 눈이 생겨. 벽돌로 빚어진 크고 공허한 눈이 골목을 내려다봐. 가끔 나와 같은 공간을 쓰는 생명체들에게 내가 보는 풍경을 보여주고 싶어. 기차가 지나갈 때면 겁먹지 말라고 말해주고 싶어.

잠시 시를 읽어. 시인들은 자신이 나약하다고 해. 병들었다고 해. 가난하다고 해. 힘들다고 해. 후회한다고 해. 늙었다고 해. 혼자라고 해. 상처받았다고 해. 죄 지었다고 해. 잘렸다고 해(기죽지 마세요. 요즘은 다 백수 아니면 잠재적 백수인 걸요). 모두가 한 목소리로 버림받았다고 해. 그럼 '버린 사람들'은 어디로 갔을까? 좋다, 나다! 내가 다 버렸다. 내가 모두를 버리고 외지고 외진 이곳으로 와서 혼자서도 둘이다! 벌레들과 신나고 재미있게 산다! 시란, 결국 패배에 관한 기록인 걸까?

친구들과 모바일 단체 채팅을 해. 줄줄이 자기 사는 이야기를 늘어놔. 먹은 얘기, 마신 얘기, 떠든 얘기, 만난 얘기, 논 얘기, 아픈 얘기, 싸운 얘기……. 조용하다고 생각했던 친구까지도 입이 다섯은 있어. 다들 입을 열 개씩 스무 개씩 가졌어. 도대체 귀를 가진 친구는 어디 있는 거냐구. 그래, 내가 듣는다 내가 들어! 나 혼자 왕창 듣고 단체 채팅방을 나와. 나도 살아있어. 나도 살아있는데 또 사는 얘길 들어야 해? 나에게 더 이상의 학습 따윈 필요 없어!

그래도 오늘은 배가 불러. 기분이 좋아. 조카가 아이를 낳았다기에 선물로 줄 우주복을 샀거든. 그걸 방 한쪽에 밀어뒀다가 자기 전에 한 번 더 꺼내봐. 잠시 내가 좋은 사람이 된 것 같아. 웃음이 나. 그러나 곧 손으로 이마를 쳐. 금방 정신을 차리고 중얼거려. “좋은 사람이 되려고 하지 마. 힘들어져.” 이 모습을 아무도 못 봐서 다행이야. 혼자라는 건 편리해서 좋아.

두 손을 가슴에 올리고 깍지를 껴. 심장 박동이 손목을 감고 팔로 올라와. 나를 방문한 생명체들. 그것들의 더듬이가 내 쪽으로 기울어져. 그것들이 앞다리를 내 쪽으로 내밀어. 이제 곧 내가 잠이 들면 그것들은 실을 당기며 아주 가까운 곳까지 다

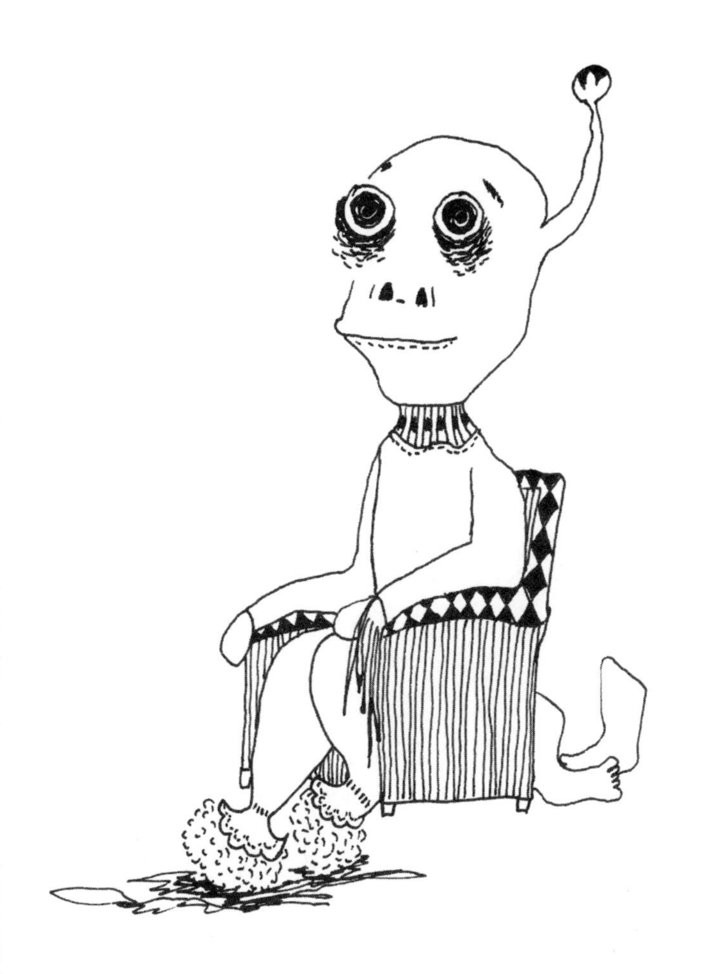

가오겠지. 내가 너무 거대해서 어리둥절할 거야. 어쩌면 나를 보지 못할 거야. 밤새 내 머리맡에 기하학적인 무늬를 그릴 거야. 매끄럽고 아름다운 곡선을 이쪽저쪽으로 끌고 다닐 거야. 내가 부르다 만 노래를 물고 내 귓속에도 들어왔다 나갈 거야. 아직 꾸지 않은 내일의 내 꿈속까지.

안개의 시간,
외계인에게

나는 안개국의 백성이야. 아침이면 안개가 이 행성을 뒤덮어. 안갯속에서 자동차들의 붕붕거리는 소리가 들려. 나는 창밖을 보며 한 마리 새를 생각해. 안개가 가득 고인 둥지 속에서 새끼를 품은 어미 새는 단추 같은 눈을 뜨고 해가 뜨기를 기다려. 아무것도 할 수 없는 새의 시간. 새를 생각하는 나의 시간. 그래, 나는 많은 시간을 시간에 대해 생각해. 혼자 있는 시간의 의미에 대해 생각해.

해가 뜨기 시작하면 식사 준비를 해. 난쟁이 가족이나 쓸 만한 냉장고를 열고 난쟁이 대식가가 먹을 만큼의 찬거리를 꺼내. 쌀을 씻으면서 노래를 불러. 노래는 난쟁이처럼은 안 해. 노래할 때는 누구나 거인이니까. 하지만 난 정말로 난쟁이가 되면 좋겠다고 생각해. 그럼 이 작은 집은 순식간에 성처럼 커질 테니. 내가 가진 식재료로도 가난한 난쟁이 100명을 초대해 아침식사를 대접할 수 있을 테니. 가끔은 아주 작은 김밥을 만들어. 난쟁이를 위한 김밥이지만 내가 먹어.

해가 둥실 떠오르면 창문을 다 열어. 커피를 들고 옥상으로 올라가. 코앞에 있는 야산의 나무들을 구경해. 너울거리며 산을 넘어가는 흰 목도리 같은 구름을 구경해. 나무에서 나무로 옮겨 다니는 크고 작은 새들을 구경해. 소도시의 중간을 뚝 잘라 지나가는 철길을 구경해. 슬리퍼로 찰싹찰싹 옥상 바닥을

때리면서 중얼거려. 텐트를 사야지……. 캠핑의자를 사야지……. 원목그네를 사야지…….

성실하게 잉여인간의 역할을 수행해. 텔레비전을 봐. 다큐멘터리를 봐. 메이저리그를 봐. 영화를 고르느라 30분 정도를 탕

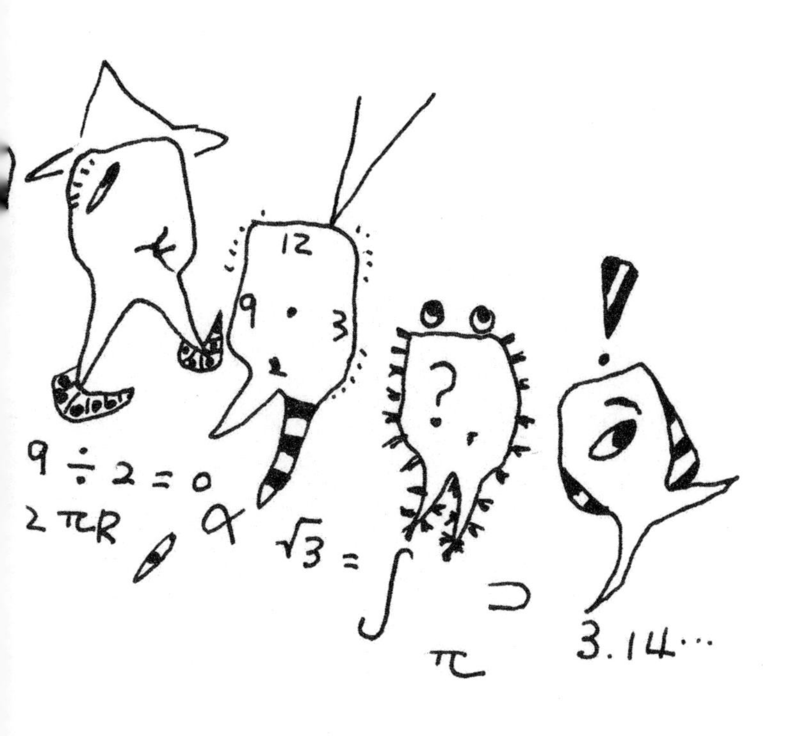

진하고 나서 영화를 봐. 영화를 보다가 깜빡 잠이 들어. 놀라 깨어나 되감기를 해. 그래도 저녁은 오지 않아. 누워서 영화 속

인물 한 사람 한 사람을 생각해. 그들의 대사를 따라 해. 그래도 저녁은 오지 않아. 책을 읽어. 읽은 책을 또 읽어. 도무지 남아도는 시간을 어떻게 해야 할지 모르겠어. 24시간이 온전히 나 혼자만의 시간으로 채워지는 날이 계속돼. 오늘도 내일도 모레도 계속돼. 낮잠을 자면 하루가 갔으면 좋겠어. 저녁은 아직 멀어.

산책을 나가. 오후 공원에는 사람이 별로 없어. 학교 갔다 오는 애들이나 볕을 쬐는 노인, 유모차를 밀고 가는 여자나 개를 산책시키는 사람이 대부분이야. 그 시간에 공원에 있는 게 안 어울리는 사람은 나뿐이야. 나는 노인도 아니고 학교도 안 다니고 유모차도 안 밀고 개도 없어. 그래서 결론 내렸어. 나 외계인이구나! 나는 외계인답게 곤충이나 벌레를 집요하게 지켜봐. 곤충이나 벌레의 시간을 이해하려고 해.

나는 이 별에서 여자도 남자도 아니야. 그저 살아있는 생명체야. 자폭의 위험이 있는 물질이야. 나는 느티나무 가지이고, 꺾인 채로 말라가는 들풀이고, 누더기 뒤집어쓴 공룡나무고, 공룡나무 아래 눈동자 부산한 비둘기야. 부서진 돌멩이고, 쇠사슬에 묶인 자전거야. 혼자만의 시간이 긴 사람은 무엇이고 될 수 있어. 내가 언제까지나 나인 것은 지겹잖아. 변신술의 비결은 외로움이야. 마주 보고 이야기하고 싶으니까 무엇이든 되는 거야. 당신이 오늘 개천에서 다친 너구리나 들쥐 같은 녀

석을 만났다면, 돌 던지지 마. 나일 수 있어.

내가 이곳에 살고 있다면, '얼마의 나'는 저곳에 살아. 지나온 곳으로 끝없이 되돌아가는 나. 가고 싶은 곳으로 가서 미리 떠도는 나. 그 사이에 지금의 내가 있어. 곧 겨울이 깊어지겠지. 온 세상이 얼겠지. 이 별에 빙산이 생기면 나는 그 안에 들어가 겨울을 날 거야. 봄이 올 때까지 어떤 소식도 듣지 않고 어떤 모임도 나가지 않고 온몸으로 추위를 받아들이겠어. 계절이 하나씩 지나갈 때마다 하나의 시간을 배우면서.

간신히 밤이 와. 한때 그토록 밤을 두려워했던 내가 이제 밤을 사랑하게 되었어. 안개국의 밤은 일찍 찾아오고 나는 9시가 넘으면 졸기 시작해. 10시가 넘으면 불을 꺼. 가끔 기차가 지나가. 세상은 먹빛이야. 순결한 밤. 나는 기차 소리가 들리지 않을 때까지 기차 바퀴를 따라가. 밤에는 자동차도 특별해. 대도시의 차 소리와는 결이 달라. 나는 자동차 바퀴에 붙어가다 떨어지는 모래알 소리를 들어. 화물을 실은 기차와 무기를 적재한 기차를 소리로 구별해.

나는 부자야. 시간 부자야. 혼자 있는 시간. 아무도 오지 않는 시간. 펑펑 남는 시간. 벽지 속의 곤충들과 교감하는 시간. 나 대신 내 그림자가 일어나 걸어 다니는 시간. 폐허의 풍경을

좇는 시간. 어제도 쓰고 남고 오늘도 쓰고 남고 내일도 쓰고 남을 시간. 나는 이 모든 시간의 주인이야. 나는 시간의 바다로 돌아온 거야. 혼자서. 혼자니까. 무한하고 고요한 시간 속에서 감각과 욕구만으로 하루를 살 수 있게 됐어. 가난하고 자유로워.

내년 봄에는 캠핑의자 한 쌍을 사서 옥상에 올려놓아야지. 여름이 오기 전에 텐트를 사야지. '옥상 위의 시간'에 대해 생각해야지. 더 이상 외롭지 않던지 외로움에 익숙해지던지 하겠어. 그럼 스스로를 외계인이라 생각하지 않을지도 몰라. 시간이 많은 사람만이 크게 울고 크게 웃을 수 있어. 내년에도 변함없이 자주 울고 웃기를 바라. 다시 나는 안개국의 백성이야. 멀고 추운 별에 혼자 있어. 맘껏 게을러.

두 가지 시간

시간. 이곳에도 시간은 있어. 낮과 밤이라는 두 가지 시간 말이야. 나는 여기서 자든지 놀든지 둘 중 하나만 하면 돼. 무엇을 해도 한가하니까 시간에 쫓기는 일이란 없어. 이른 아침 일어나 출근을 서둘러야 한다면 적응하지 못해 죽을지도 몰라. 느리게 사는 것에 너무도 익숙해져 있으니까. 원래 이런 사람이었던 것 같아. 빈둥빈둥 어슬렁어슬렁 설렁설렁 사는 사람. 느리게 살면 많은 것을 하지 않아도 돼. 그래서 자주 날짜를 잊어버려. 날짜를 잊지 않기 위해 달력을 봐. 자기 나이를 모르는 원시부족을 이해하게 됐어. 나도 가끔 내 나이를 잊어버리거든. 누가 묻지도 않지만 혹시 물을까 봐 잘 기억해둬야 한다니까. 조급증이 치유되는 것 같아. 기다리는 것도 좀 되는 것 같아.

어둠과 밝음뿐인 세계. 이곳에서 시계는 필요 없어. 나는 몇 시까지 뭘 해야 하고 몇 시까지 어딜 가서 누굴 만나지도 않으니까. 어둠과 밝음이면 충분한데, 어둠과 밝음 같은 건 시계가 보여주지 않아. 그러고 보니 이상하네. 시계는 가장 대조적인 시간을 같은 방식으로 보여줘. 정오와 자정을 말이야. 대치해야 하는 건데 동일하게 보여 준다? 아무래도 24시까지 있는 시계를 만들어야 하나? 아니다, 아니다. 하루에 절반만 시계를 보라는 뜻일 거야. 결국 세상 어느 곳이든 시계를 보는 시간과 안 보는 시간 두 가지 시간뿐이니, 내가 떠나온 세계도 이곳과 비슷하다고 해야 하나?

밤이야. 사람 형상의 가죽 한 벌을 벗어놓고 나는 드디어 내가 돼. 아무도 모르는 순전한 나 말이야. 동물인지 식물인지 거대한 먼지 덩어리인지 모르는 나. 그저 숨 쉬고 그저 존재하는 나. 나는 내가 어떻게 생겼는지 얼마만한지 몇 살인지 무슨 색깔인지 몰라. 나는 완벽하고 안온한 어둠 지하 100미터에 내려와 있거든. 이곳은 조용하고 느려. 빛 한 조각 안 들어와. '지하 100미터의 나'는 나조차 본 적이 없어. 흉측하고 못생기고 징그럽지 않기만을 바랄 뿐이야.

아, 따뜻해라. 지금 밖에는 바람이 세차게 불고 마른풀들이 비틀거릴 거야. 달에 구름이 딱딱하게 얼어붙고 달그림자는 부풀지 못할 거야. 밖에서 무슨 일이 일어나도 나는 모르겠지. 세상이 망해도 나 혼자만 모르겠지. 몰라서 망하지 못하겠지. 나는 깊고 깊은 잠을 잘 테니까. 눈을 뜨기 전까지 정지 상태니까. 지하 100미터까지 내려와 나를 깨울 사람은 없어. 따뜻한 공기 한 줌을 쥐고 몽상에 잠겨. 내가 내뿜는 콧김 말고는 움직이는 게 없어. 여기선 눈을 뜨면 어둡고 눈을 감으면 밝아. 이 순간에도 네온사인 찬란한 지상의 세계에는 나를 사람으로 잘못 알고 있는 사람이 있을 거야.

나는 먹빛 둥지 안에서 눈을 끔벅거려. 아직 한 번도 가본 적 없는 저 멀고 먼 세계에서 느릿느릿 걸어오는 겨울잠을 기다

려. 입을 꾹 다물고 노래를 해. 온몸의 세포들이 하나하나 살아나 '히브리 노예들의 합창'을 불러. 굉장히 아름다운 노래지만 입으로 부르면 안 돼. 입으로 부르는 순간 듣기 싫은 소리로 변하거든. 투명한 지휘봉을 쥐고 '재즈 왈츠곡'을 들어. 노래를 알면 오디오가 없어도 노래를 들을 수 있어. 어떤 노래는 한 번 들음으로 평생 들을 수 있어. 영혼에 이식되어 한 사람의 몸속에 유기체로 살아있으니까. 나는 내 몸속에서 들려오는 노래를 들으려고 눈도 깜빡하지 않아. 누구나 자신을 숙주로 한 노래가 하나쯤은 있을 거야.

100미터 위로 전화가 와. 똑같은 간격을 두고 똑같은 떨림이 전해져. 똑같은 게 반복되면 패턴이 되는데, 패턴이 계속되면 결국 무시하게 하지. 소리든 무늬든 춤이든. 만약 패턴에 계속해서 반응하는 생명체가 있다면 그 생명체는 죽고 말 거야. 해가 뜨고 지는 것과 계절이 바뀌는 것을 견딜 수 없을 테니까. 이 밤 아직도 누군가가 100미터 위 지상에서 나를 찾아. 그의 시간과 나의 시간은 달라서 나는 그의 부름에 응답할 수 없는데 말이야. 이미 사라진 나를 실컷 찾으라지. 나는 지금 팔 한 짝 다리 한 짝 움직일 수 없어. 다만 진동…… 진동…… 진동……을 느낄 뿐이야. 나는 나와도 단절된 시간 속에 있어. 내일 아침 지상으로 올라가 사람 형상 가죽을 뒤집어쓰면 저 인간을 차단해버리겠어.

아기가 울어. 막 100일이 된 아기야. 얼굴을 본 적은 없지만 아기를 알아. 여러 번 울음소리를 들었거든. 아기에게 시간은 무엇일까? 아기도 시간을 알까? 아기의 시간은 온통 잠으로 채워지겠지. 아기에게도 시간은 있어. 낮과 밤 말이야. 먹는 시간이 낮이고 자는 시간이 밤이라 생각한다면 아기에 대해 모르는 사람이야. 똥을 누는 시간이 낮이고 똥을 안 누는 시간이 밤이야. 아기들은 아플 때 빼고는 밤에 똥을 안 눠. 웬만한 어른보다 매너가 좋아. 아기 얼굴이 보여. 볼이 붉어지도록 젖을 빠는 아기 얼굴이 보여. 아주 가까운 곳에 아기가 있어. 꿀꺽꿀꺽 젖을 삼키는 소리가 들려. 발가락이 고물거리는 소리가 들려. 아기 엄마가 아기를 안고 트림을 시켜. 앞뒤로 몸을 흔들며 등을 토닥여. 나도 그 토닥임을 같이 느껴.

이제 나는 형체가 무너지고 있어. 기분 좋은 공기가 나를 둘러싸. 내 주변에는 나무와 양치식물, 이끼가 무럭무럭 자라. 몸 밑에서 빠르게 잎이 크는 고사리가 나를 공중으로 들어 올리고 있어. 나는 점점 가벼워져. 이마에 보송보송하고 따뜻한 수증기가 닿고 나는 마음만 먹으면 깃털이 되어 날아갈 수 있어. 옷을 입었지만 옷을 안 입은 것 같고, 이불을 덮었지만 이불을 안 덮은 것 같아. 눈을 감았지만 눈을 안 감은 것 같고, 누워 있지만 누워 있지 않은 것 같아. 여기 있지만 여기 있는 것 같지 않고, 나인 것 같지만 내가 아닌 것도 같아.

으흐흐, 저절로 웃음이 나와. 나는 지하 100미터의 나를 지하 100미터 구덩이에 툭 떨어뜨려. 유령 같은 존재가 되어 맨발로 좀 더 깊고 따뜻한 곳으로 가. 잠 속으로 들어가는 문턱을 넘는 데는 불과 0.01초도 안 걸리지만 나는 매번 세세하게 그 기분을 느끼려 해. 이 문턱을 넘어가면 몇 살짜리 내가 나를 맞이할까?

기계야
나무 도막이야

바싹 마른 트레이닝 바지를 들고 앉아. 검은색인데 흰 보풀이 엄청나. 얼마나 고마운지 몰라. 셀 수 없이 많은 보풀. 이 보풀들이 쥐처럼 야금야금 내 시간을 갉아먹어줄 거야. 내 머릿속의 잡념까지 다 갉아먹어줄 거야. 나까지 갉아먹어주길 바라지만 그러면 보풀은 보풀이 아니게 돼. 보풀은 눈도 코도 귀도 입도 없지만 뿌리가 질겨. 갈팡질팡하는 나를 구원해줄 거야. 보풀이 내 종교야. 지금 이 순간은 보풀이 절대적이야. 다치지 않게 보풀을 떼어내야 해. 다 떼고 나면 보풀은 죽어. '보풀교'와 함께 보풀교 신자도 사라져. 그다음에는……? 또 무얼 찾아내야겠지. 무얼 찾지 못하면 순식간에 쓸데없는 생각이 달려들어 나를 차지해버릴 테니까.

뉴스 채널을 틀어놓고 보풀을 떼기 시작해. 목소리가 바뀌면 고개를 들어 누군가 확인해. 가끔 대꾸도 해. 나는 보풀을 떼기 위해 태어난 사람이야. 지금 이 순간에는 오직 그래. 시간이 흐르고 흘러. 어느새 뉴스가 끝나. 광고가 나와. 토크쇼가 시작돼. 이쯤 되면 안 쳐다보고 안 들어. 그래도 텔레비전을 끄지 않아. 끄면 안 돼. 왜냐하면 텔레비전 끄는 것을 잊어버렸거든. 나는 기계가 됐으니까. 보풀 떼는 기계. 텔레비전을 끄려면 정신을 차려야 하고 정신을 차리면 텔레비전을 켜게 될 테니까. 기계가 그러면 안 되잖아. 기계는 기계의 사명을 다해야 해. 땀이란 화학물질을 분비하지 않는 대신 무엇이든 끝까지 해야 해. 마지막에 이르면 기계도 결국 생각이란 걸 하는데, 바로 이런 생각이야. 트레이닝복을 버려도 좋다! 보풀을 다 떼어낼 수 있다면!

엄지손톱이 손가락에서 벌어지기 시작해. 검지가 빨갛게 부풀어 올라. 그래도 멈추지 않아. 기계는 고장 나기 전까지는 작동돼야 하니까. 기계는 배터리가 다 닳아 없어질 때까지 멈추면 안 되니까. 인간이었을 때 샀던 사소한 기계들이 있었어. 전기 믹서나 헤어드라이어, 카세트 라디오나 카메라……. 그동안 그런 걸 오래 쓸 때 묘한 만족감을 느껴왔었어. 누렇게 색깔이 변한 믹서에 채소를 갈 때면 스스로가 대견해서 웃기까지 했어. 그러니 보풀 떼는 기계도 훌륭해야 해. 나를 만족시켜야 해.

기계가 다시 사람이 되려나 봐. 왼쪽 다리가 저려오기 시작해. 발에서 시작한 저림이 종아리를 타고 허벅지로 올라와. 스펀지였던 왼쪽 다리가 돌로 변하기 시작해. 부드럽고 간지럽던 통증이 무겁고 따가운 통증으로 바뀌고 있어. 마침내 왼쪽 다리 전체에서 한 덩어리 폭탄이 터지려 해. 그때서야 트레이닝 바지를 놔. 왼쪽 다리를 날려버릴 수는 없으니까. 사람이 된 다음에 왼쪽 다리가 없으면 불편하잖아. 아, 이런! 거의 사람이 다 됐어. 왼쪽 다리를 부둥켜안고 어쩔 줄 몰라 해. 살살 달랬다가 주물렀다가 두드렸다가 깜짝 놀라. 바닥에 굴러 눈물 한 방울을 찔끔 흘려. 젠장, 사람이 돼버렸네!

2시간 동안 꼼짝 않고 보풀을 떼었지만 보풀은 한 움큼 밖에 안 돼. 그리고 트레이닝 바지는 별로 달라지지 않았어. 신기한 건 분명히 흰 보풀을 떼었는데 떼어낸 보풀 덩어리는 까매. 이제 사람이니까 보풀 덩어리를 뭉치면서 생각해. 이런 것도 다시 실이 되고 섬유가 될 수 있을까. 먼지 덩어리도 뭉치면 보풀 덩어리랑 비슷한데 그것도 잘만 가공하면 섬유가 될 수 있지 않을까. 아주 많은 양을 모으면 멋진 드레스를 만들 수 있지 않을까.

오케이. 오늘 오전의 '은둔자 연명을 위한 최소한의 자가 치료'는 여기까지.

내가 선택한 건 펜이야. 만년필 아니야. 펜이라고. 펜. 만년필은 너무 편리하잖아. 게다가 한꺼번에 잉크가 뚝 떨어져 실수를 하는 일도 없어. 내가 펜을 좋아하는 이유는 불편해서야. 잉크병을 엎지르지 않도록 주의해야 해. 한 번에 너무 많은 잉크를 찍지 않도록 주의해야 해. 펜촉이 갈라지지 않도록 주의해야 해. 아, 귀찮아. 그래서 좋아. 무엇보다도 잉크병에서 올라오는 잉크 냄새. 그래, 난 잉크 냄새를 탐닉해. 중독자야. 펜은 아주 오래된 필기도구지. 매력적이지 않아? 진짜 나무 펜대에 진짜 펜촉을 끼워 써. 사실은 누가 나를 귀찮게 하지 않아서 내가 나를 귀찮게 하는 거야.

펜으로 그림을 그리는 건 취미가 아니야. 삶이야. 내 가까이에는 언제나 잉크병과 펜과 종이가 있지. 커피는 없어도 돼. 복잡하게 그리는 게 좋아. 작은 점을 많이 찍는 게 좋아. 펜으로 색칠을 하는 게 좋아. 시간이 오래 걸려서 좋아. 오랫동안 평안할 수 있으니까. 오랫동안 내가 나인 것을 잊을 수 있으니까. 오랫동안 내가 혼자인 것을 잊을 수 있으니까. 오랫동안 누가 보고 싶다는 것을 잊을 수 있으니까. 그러면서 잠시 이곳에서 사라지는 거야. 내가 무엇을 그리는 게 아니라 그려지는 무엇을 그리는 거지.

마침내 나는 한 자루 펜이 돼. 팔다리와 귀와 코와 입이 떨어

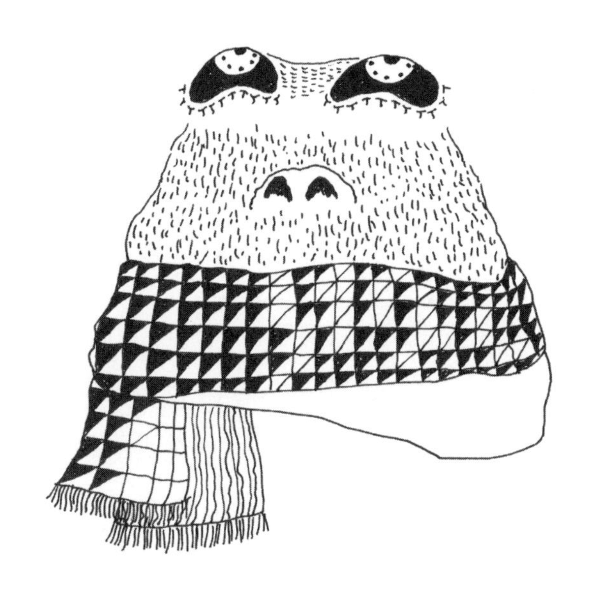

져 나가고 한 토막 나뭇가지가 돼. 춥지도 가렵지도 않아. 한참 그러면 나뭇가지도 말을 하지. 사람이었을 때는 두려워서 하지 못했던 말들을 나뭇가지는 해. 나뭇가지는 눈치 보지 않아. 나뭇가지는 점을 찍으면서 이렇게 중얼거려. 모호하지 말 것. 모호하게 모호하지 말 것. 그래도 정말, 진짜, 왕, 모호하고 싶다면 선명하게 모호할 것! 슬픔에 대해 쓸 수 있을 것. 슬픔에 대해 슬프지 않게 쓸 수 있을 것. 웃으면서 춤추면서 뛰면서 슬픔을 말할 수 있을 것!

주로 괴물을 그려. 무엇을 그려도 결국 괴물이 돼. 괴물은 현실 속에 없으니까. 마음대로 그려도 잘못 그려지지 않아. 실패하지 않아. 할 수가 없어. 괴물이잖아. 괴물! 내가 부를 때마다 한 마리씩 대답을 해. 난 그렇게 믿어. 이 세상 누구보다 많은 괴물을 알아. 괴물은 불평하지 않아. 머리가 크고 눈이 작아도 투덜대지 않아. 아주아주 순해서 내가 그려주는 모습을 금방 자기 모습으로 수용해. 게다가 괴물은 자리를 차지하지도 않아. 어딘가에 있다가 내가 부르면 금방 달려와서 꼬리를 흔들어. 심지어 내가 불을 끄고 누워 있을 때도 환하게 빛을 뿜어내며 달려와. 아, 나는 괴물을 사랑하게 되었어. 어떻게 사랑하지 않을 수가 있겠어? 실패하더라도 진짜를 하고 싶어. 괴물은 내게 몇 개의 진짜 중에 하나야.

벌써 2년째야. 괴물과의 동거. 나는 괴물을 그려서 세상에 없는 것을 세상에 있는 것으로 만들어. 그러면 외로움이 덜 해져. 고독한 사람에게 제일 좋은 친구는 '더 고독한 사람'일 거야. 그런데 나한테 제일 좋은 친구는 괴물이야. 어쩌면 내 괴물의 다른 이름이 더 고독한 사람일 수도 있어. 오늘은 괴물에게 바둑판무늬 목도리를 그려주었어. 바둑판무늬 목도리를 그려주면서 알게 되었어. 괴물에게 목도리를 둘러주면서 내가 따뜻해진다는 걸. 아무도 내가 그린 괴물을 좋아하지 않아도 돼. 내가 좋아하니까. 처음으로 그렸던 괴물은 말도 했어. 이렇게 말하더라고. 잊지 마. 사는 게 힘들다고 팔목을 그으면 안 돼. 더 힘들어져!

오케이. 이것으로 오후의 '악성 외로움 말기 환자를 위한 자가 미술 치료' 끝.

사람으로 돌아오면 많은 것이 변해 있어. 창밖에는 어둠이 몰려와 있고 내 뱃속에는 배고픈 거지들이 잔뜩 몰려와 창자를 잡아 늘이지. 아, 역시 인간으로 돌아오면 힘들어. 거지들을 먹여 살리려고 덜그럭거려야 하지. 집을 따뜻하게 데워야지. 전화를 받아야지. 메일을 봐야지. 내일은 눈이 왔으면 좋겠어. 눈은 언제나 감동적이야. 내일 아침에는 일어나자마자 눈을 감고 창가로 걸어가야겠어. 내가 좋아하는 괴물 열 마리를 앞세우고 말이야. 밖에 눈이 왔는지 괴물 열 마리와 함께 확인하는 거야. 한 마리씩 눈을 뜨도록 할래. 10, 9, 8, 7, 6, 5, 4, 3, 2, 1, 0.

제4부

나의 지옥

벌레가 무섭다. 날개가 안 달려서 날지도 못하는, 변변한 다리가 없어서 빨리 가지도 못하는, 말랑하고 반질반질한 애벌레가 무섭다. 박각시는 아름다운데, 박각시나방애벌레(깻망아지)는 소름 돋게 무섭다. 배추흰나비는 사랑스러운데, 배추흰나비애벌레는 생각하기도 싫다. 호랑나비는 정이 가는데, 호랑나비애벌레는 아, 정말 미치게 무섭다.

느낌이 싫다. 반들반들한 촉감, 탱탱하게 체액을 채우고 줄기차게 기어가는 모습, 뭐에 닿기만 하면 몸을 동그랗게 마는 빠르고 섬세한 반사 신경, 나뭇가지로 누르면 죽을 때까지 계속되는 꿈틀거림……. 약하고 동시에 강한 반항의 몸짓. 생각하기만 해도 식은땀이 난다.

나는 상상한다. 지옥이란 애벌레가 득실득실한 곳일 거다. 연둣빛 깻망아지들이 어디에나 있는 곳이 지옥일 거다. 셀 수 없이 들끓는 깻망아지들, 그 한가운데 떨어지면 깻망아지들이 비명 없이 터지고, 초록의 체액이 내 온몸에 묻을 것이다. 기절하면 좋으련만 거긴 지옥이라서 언제까지고 내 정신은 또렷할 것이다……. 간혹 애벌레 꿈을 꾸는데, 꿈에 나오는 애벌레들은 몸뚱이가 사람만 하다. 내가 가는 곳마다 물개처럼 꿀렁거리며 따라온다. 죽지 않고 가는 지옥이다.

언제일까. 언제부터 그렇게 애벌레를 무서워했을까. 어렸을 때도 그랬다. 똥 속에 바글바글 살아있는 구더기가 무서워서 변소에 가기 싫었다. 그래서 겨울이 좋았다. 바람이 몰아치는 변소에 앉아 시린 발가락을 꼼지락대며 볼일을 보는 게 좋았다. 똥이 녹고 봄이 오면 아래를 유심히 살피며 볼일을 보았다. 볼일을 보러 매일 지옥에 갈 수는 없으니까. 지옥이 오기 전에 수를 써야 하니까.

할미꽃이 피기 시작하면 호미를 들고 산으로 갔다. 할미꽃은 뒤란 장독대에도 피었지만 거기보다는 산에 피는 할미꽃이 좋을 거라 생각했다. 아무도 없는 데서 자란 할미꽃이 독할 거라 생각했다. 두 뿌리면 충분했지만 나는 다섯 뿌리도 넘게 할미꽃을 캤다. 그걸 구더기가 생긴 똥통에 던져 넣었다. 그러면

수천수만 마리의 구더기가 하루아침에 죽어 잠잠해졌다. 천국의 변소였다.

여름이면 개똥벌레를 잡아 소주병에 모으고는 했는데, 사실 개똥벌레도 무서웠다. 개똥벌레는 다른 곤충에 비해 배가 컸다. 날개도 보잘 것 없고 다리에 힘도 없는데 배는 유난히 커서 애벌레의 느낌이 많이 남아 있었다. 동생들도 손으로 덥석덥석 잡는 개똥벌레를 내가 잡지 못하면 자존심 상하니까 나는 티내지 않으려고 무진 애를 썼다. 하늘을 날아갈 때는 반짝반짝 예쁜 개똥벌레지만 잡고 보면 께름칙하기가 그지없었다.

개불알꽃을 꺾으려고 윗집 아이들과 산에 간 적이 있었다. 개불알꽃 대신 초롱꽃을 꺾어 돌아왔다. 마당에서 자전거를 타던 동생이 내게 손가락질을 했다. 벌레! 나한테 벌레가 붙어 있다는 소리였다. 나는 미친 당나귀처럼 날뛰었다. 빨리 벌레를 떼어내야 하는데 너무나 치가 떨려서 벌레가 어디에 있는지조차 살필 수가 없었다. 동생한테 떼어달라고 하자 동생은 방으로 도망을 쳤다. 나는 막 울면서 이리 뛰고 저리 뛰다 광에서 겨우 엄마를 찾아냈다. 엄마가 내 가슴팍에 붙은 자벌레를 손으로 떼어냈다. 나는 벌벌 떨면서 옷을 벗어 패대기쳤다. 세숫대야에 물을 한 바가지 붓고 비누로 씻고 또 씻었다. 목덜미와 가슴팍이 빨갛게 부풀었다. 강렬한 지옥이었다.

고2 때였나 고3 때였나. 학교에 소나무 잣나무가 많았다. 교문에서 교실로 가는 진입로 옆에 잣나무가 빼곡했고(지금은 베어지고 없다) 바로 옆 내린천변에는 소나무가 우거진 솔밭(어디로 증발했는지 지금은 흔적도 없다)이 있었다. 만희가 나한테 줄 것이 있다고 했다. 눈을 감고 손을 내밀라고 했다. 나는 빨리 선물을 받으려고 눈을 감고 손을 내밀었다. 그러나 눈을 떴다가 바로 눈을 감아버리고 말았다. 눈을 뜬 바로 그 순간에 기절

했던 것이다. 만희가 내게 준 건 송충이였다. 나쁜 놈! 지금 생각해도 나쁜 놈!

어른이 되어 도시에 나와 살게 되었을 때, 나는 참 행복했다. 봄이 와도 여름이 와도 벌레 걱정을 안 해도 되니 말이다. 가끔 텔레비전에 나비농장이 나왔다. 그런 뉴스가 나오면 하던 일을 멈추고 집중해서 봤다. 그곳이 시골이든 도시든 천국이든 그 근처는 피해야 하니까. 다행이 나비농장은 언제나 내가 사는 곳에서 멀리 떨어진 곳에 있었다.

등산이 싫다. 체력도 안 따라주지만 산에 가면 꼭 벌레가 있다. 나는 경험으로 안다. 등산을 가려면 딱 4월까지만 가야 한다. 5월이 되면 애벌레들이 대량으로 나와 돌아다닌다. 경사진 곳을 오르겠다고 아무 나무나 붙잡으면 절대 안 된다. 애벌레들은 잎사귀 뒷면에 철저히 몸을 숨기고 죽은 듯이 붙어 있다. 나뭇가지에 나뭇가지처럼 붙어 있다. 키 큰 나무 밑이라고 안전하지 않다. 길고 가느다란 줄을 뽑고 내려와 공중에서 대롱거리다 얼굴이나 가슴에 척 달라붙는다. 허공까지 세세히 살펴봐야 한다. 돌멩이라고 다르지 않다. 돌멩이하고 똑같은 색깔의 벌레가 갉아먹을 것도 없는 돌멩이에서 나를 기다린다. 아, 정말 딱정벌레가 뒤집혀 죽는 늦가을이 올 때까지 산에 가면 안 된다. 거긴 사람도 벌레도 많은 지옥이다.

비 온 다음날은 동네 산책로에 나가는 것을 주의해야 한다. 굵직굵직한 민달팽이들이 산책로를 산책로 삼아 산책한다. 그것들은 뿔로 허공을 콕콕 찌르면서 간다. 바닥에 체액을 발라가면서 간다. 쨍하고 파란 하늘과 구름에 취해 부주의했다가는 민달팽이를 밟아 으깰 수 있다. 그 느낌……. 0.01초 만에 신발 밑창을 뚫고 전해지는 민달팽이의 움찔함. 예상과 다른 느낌으로 지면에 닿는 발바닥.

산책로에 나갈 때면 밝은 옷을 입는다. 벌레는 우중충한 곳에 숨기를 좋아하니까. 이젠 벌레를 떼어줄 엄마가 없어서 애초에 벌레가 붙지 않게 해야 한다. 요즘은 탈감작 요법을 하고 있다. 별 효과는 없는 것 같지만 그래도……. 항상 주변에 벌레가 있을 수 있다는 것, 예상치 못한 때에 맞닥뜨릴 수 있다는 것을 스스로에게 상기시킨다. 그리고 오늘처럼 가끔은 애벌레 이미지를 검색한다. 그중에서도 제일 무서운 깻망아지. 하나씩 하나씩 자세히 본다. 용기를 내어 스마트폰 화면을 살짝 만져본다. 공포심은 여전하다. 하지만 옛날보다 나아졌다. 얼굴을 찡그리지만 비명을 지르지 않고 사진 정도는 만질 수 있다. 깻망아지의 꼬리 쪽만 살짝. 온전한 한 마리의 사진을 만지려면 30년 정도는 필요할 것 같다.

이제 겨울이 깊어졌으니 살충등을 꺼야겠다.

벌레들의 행군

외이도염이 있다. 누구한테 아프다고 말도 못 한다. 말해봤자 겨우 그만 걸 갖고 엄살이냐는 반응들을 보이니까. 평소에는 멀쩡하다가 힘들다 싶을 때 찾아온다. 내린천에서 래프팅을 한 후로 처음 외이도염이 생겼지만, 귀에 내린천 물이 들어가서 그런 건 아닌 것 같다. 10년이 지난 지금 내 귀에는 내린천 물이 한 방울도 남아 있지 않으니까. 그런데도 여전히 외이도염에 시달리니까. 외이도염이 찾아올 무렵 하필 내린천에 귀를 담갔다 꺼낸 것뿐이다. 그러니 '문 이비인후과' 선생님, 이 글을 보시면 진료 기록지를 수정해주세요.

털 달린 벌레가 귓속에 들어간 것 같다. 털 달린 벌레들이 천리행군을 하는 것 같다. 밤낮으로 쉬지 않고 간지럽다. 손가락을 집어넣어 긁어도 시원치 않다. 손가락이 들어가질 않으니까. 면봉을 집어넣어 긁어도 시원치 않다. 면봉이 효자손은 아니니까. 귀이개를 넣어 긁어도 시원치 않다. 아파서 금방 빼야 하니까. 물이 나온다. 10년 전에 들어간 내린천 물이 남아 있는 것도 아니고, 수돗물이 들어간 것도 아닌데, 도대체 왜 물이 나오는 걸까? 물이 밤낮으로 나온다. 물은 밤이 없으니 낮도 없고 그래서 밤낮으로 나오겠지.

귀에서 시작된 문제는 귀에서 끝나면 좋으련만 정신을 피폐하게 만든다. 밤을 엉망으로 만든다. 시체처럼 얌전히 자던 나는 야수가 되고 만다. 왼쪽으로 누워 자다가 깜짝 놀라 일어난다. 오른쪽 귀에 염증이 있으니 왼쪽으로 누워 자면 물이 귓속 깊이 들어간다. 그럼 하룻밤 만에 귓속 깊은 곳에 딱지가 생긴다. 딱지가 생기면 상처는 낫는다지만 예외는 있기 마련이다. 그때부터는 귀에 투명한 꼬챙이가 돋아나 머리를 찌른다. 오한이 오고 귀가 붓는다. 사람이나 대통령이나 물길을 막아서는 안 되는 것이다.

문제는 잠이다. 제대로 자기는 글러버린다. 왼쪽으로 자는 나를 발견할 때마다 소스라치게 놀라 오른쪽으로 눕는다. 오른쪽으로만 오래 누워 허리가 아파도 어쩔 수 없다. 오른쪽 귀가 아프니 오른쪽 귀가 왕이다. 받들어 모시느라 밤새 시달린다. 잠자야지, 놀라야지, 자세 바꿔야지, 귀 긁어야지……. 그러다 아침이 오고 아침이 오면, 자고 싶어 미친다. 낮에도 별반 다르지 않다. 졸아야지, 놀라야지, 자세 바꿔야지, 귀 만져야지……. 누굴 만나러 나가지도 못한다. 귀를 모시는 모습을 보여줘 뭐 하겠느냔 말이다.

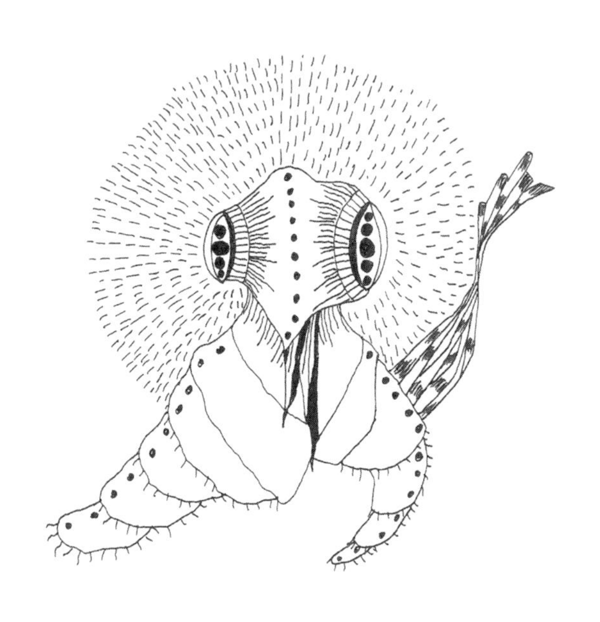

누가 보면 병원에 가지 뭘 미련하게 버티느냐고 할 거다. 모르면 말하기 쉬운 법이다. 남의 일은 말하기 쉬운 법이다. 병원에 가면 귀를 엄청 판다. 그런데 그건 의사만 시원하지 나는 전혀 시원하지 않다. 귀를 파면 상처가 나고, 상처가 나면 며칠

병원에 가 소독을 받아야 한다. 효과가 좋은 건 약이다. 약을 먹으면 확실히 낫는다. 부작용이라면 쉴 새 없이 졸린다는 것. 밤에도 낮에도 잠만 잔다는 것. 아무것도 못 하고 목숨만 붙어 있다는 것. 약을 끊는 순간 털 달린 투명 벌레들이 꿈틀꿈틀, 다시 쳐들어와 대열을 갖춘다. 그런저런 이유로 이번에는 뭔가 이상하단 생각이 들 때가 아니면 병원에는 가지 않는다.

며칠 시달리다 보면 심신이 약해지고, 제일 고약한 버전의 악몽을 꾼다. 꿈에 눈을 번쩍 뜨고 갈팡질팡한다. 이마 바로 위에서 미친 듯이 비상등이 점멸하고 사이렌이 울린다. 계단을 뛰어 내려가는 발자국 소리가 귓속으로 막 쏟아져 들어온다. 헉헉대며 짐을 싼다. 이제 막 스무 살이 넘은 내가 옷장 서랍을 열고 책상 서랍을 연다. 심장이 규칙을 잃고 아무렇게나 뛴다. 더플백은 자꾸 힘없이 넘어지고 내가 찾는 물건들은 어디에도 없다. 다들 더플백을 메고 연병장으로 뛰어나가는데 나만 내무반에서 동동거리고 있다. 내가 빨리 짐을 싸서 연병장에 나가야 저 빌어먹을 사이렌 소리가 멈추는데……. 꿈속에서도 침이 마른다. 꿈속에서도 공황상태다.

제대한 지 20년이 다 되어 가는데, 아직도 군대 꿈을 꾼다. 주제는 비상. 나는 노란 밥풀때기를 단 가입교생이다. 다들 집합을 했는데, 나 혼자 낙오됐다. 꿈을 꾸고 일어나면 몹시 지친다. 심장이 빠르게 뛰고 호흡이 가쁘다. 정말로 사이렌이 울렸던 것처럼 귓속이 멍하다. 정신도 멍하다. 도대체 이 꿈을 언제까지 꾸어야 할까? 이따위 말도 안 되는 꿈을 꾸다가 죽는 날이 올지도 모른다. 기분이 안 좋다. 귀는 더 안 좋다. 어둠 속에 넋을 놓고 앉아 비참한 기분에 젖는다. 이러면서 나이 먹기는 싫다. 아, 정말 건강해야지.

너, 힘들구나……. 너, 지쳤구나……. 너, 약하구나……. 나를 위로해야겠다는 생각을 한다. 부지런히 화장을 하고 나가 고기를 사 먹고 옷을 산다. 따뜻하고 달달한 커피를 마신다. 책을 사고 영화를 본다. 화장품을 사고 염색을 한다. 돈도 별로 없지만 돈을 쓴다. 꿈 밖의 내가 꿈속의 나에게 에너지를 주고 싶다. 어리지 않은 내가 어린 나에게 기운을 북돋워주고 싶다. 꿈속의 내가 씩씩하게 더플 백을 지고 떠나야 현실의 내가 안정이 된다. 꿈속의 군인은 무사히 군장을 꾸려 연병장으로 나가야 한다.

귓속에 바람을 넣고 햇볕을 넣는다. 말리고 모시고 다독거린다. 여전히 한쪽 팔을 잠 밖에 내놓고 자는 날이 많다. 누가 방안에 들어오면 잠을 자면서도 손을 들고 악수를 할 수도 있을 것 같다. 눈을 감고 자면서도 방안의 풍경을 보는 날이 많다. 외이도염이 가져온 신경증이다. 간지러움이 심해지면 잘 때

더 예민하다. 피곤하고 피곤하고 피곤해야 잠깐 잠이 간지러움을 이긴다. 그때 재빨리 잠들어야 얕은 잠이라도 잔다. 자면서도 질문을 하고 대답을 한다. 너 지금 오른쪽 귀를 바닥에 대고 자는 거니? 오, 그렇구나. 그렇다면 계속 자라.

그런 날이 계속되다 보면 어느 날 갑자기 염증이 가라앉고 귀가 가벼워진다. 그때의 기분을 뭐라 해야 할까. 드디어 귓속에 쨍한 해가 뜬 기분이랄까. 저절로 웃음이 나온다. 이런 날 나를 만난 사람들은 좋을 거다. 내가 밥도 사고 커피도 살 테니까. 지루한 이야기도 끈기 있게 들어주고 알맞게 맞장구를 쳐줄 테니까. 귀가 말라 있다는 게 얼마나 좋은 건지 잘 알기 때문에 나는 꽤 많은 날 행복감에 젖는다. 이어폰을 끼고 음악을 들으며 걷는다는 게 얼마나 좋은 건지 알기 때문에 내 걸음은 누구보다 경쾌하다. 이쪽저쪽으로 누울 수 있다는 게 얼마나 좋은 건지 알기 때문에 누워만 있어도 기분이 좋다.

이런 기분을 잊어갈 때쯤이면 멀리서 그놈이 다시 온다. 귀를 만지는 횟수가 어제보다 많아졌다. 털 달린 투명 벌레 군단이 내게 첨병 한 마리를 보냈다. 이놈을 쏴 죽여 이곳을 지나가면 안 된다는 것을 분명히 알려줘야 할 텐데……. 언제나 그렇지만 내게는 또 총이 없다. 언제나 그렇듯 또 총은 나쁜 놈 것이고, 나쁜 놈은 털 달린 벌레 군단이다. 엎드려!

나는 이상하다

그래, 나는 이상한 아이였다. 어렸을 때부터 죽음이 궁금했다. 여덟 살이었나 아홉 살이었나, 아마 여덟 살이었을 것이다. 얼굴에 검버섯이 많은 윗집 할아버지가 죽었다. 겨울이나 여름이나 늘 추위를 타서 사계절 털모자를 쓰고 다니던 귀머거리 할아버지였다. 앓아눕기 전까지 지게 작대기를 짚고 다리를 절며 매일 우리 집에 놀러 오던 윗집 할아버지. 우리 할아버지의 단짝 친구였다. 그때까지 한 번도 죽은 사람 얼굴을 본 적 없던 나는 윗집 할아버지가 돌아가셨다는 말을 듣고 집에 가만히 있을 수가 없었다.

윗집 뒤란에서 소당(솥을 덮는 솥뚜껑의 방언)에 전을 부쳐내는 엄마에게 가 전을 한 쪼가리 얻어먹고는 그 집 안방으로 갔다. 한쪽 구석에 이불에 덮인 윗집 할아버지가 있었다. 아직 오지 않은 사람이 있어 관을 봉하지 못했다고 했다. 올 사람이 다 오고 나면 관을 봉하고 밖에 내놓을 거라고 했다. 안방에는 화순이랑 철용이, 미순이, 수용이 오빠가 있었는데 허리에 새끼줄을 두르고 있었다. 모두들 얼굴에 눈물 자국이 나 있었다. 그래도 나를 보고 한 번씩 미소를 지어 주었다. 나는 웃어야 하나 어째야 하나 고민하다가 가만히 있었다.

안방에서 내다보니 안마루에 상이 꾸며져 있었다. 윗집 아저씨랑 아줌마, 그리고 내가 모르는 사람들이 베옷을 입고 허리에 새끼줄을 두르고 지팡이를 짚고 곡을 하고 있었다. 상 한가운데에는 윗집 할아버지의 사진이 있었는데, 사진 속의 할아버지를 보고 나는 깜짝 놀랐다. 그 할아버지가 양반들이나 쓰는 멋진 갓을 쓰고 있었다. 언제 저런 걸 쓰고 사진을 찍었을까? 윗집 할아버지가 저런 걸 쓰고 있는 걸 한 번도 못 봤는데……. 윗집 할아버지가 옛날에 높은 사람이었나?

짚 가루가 부서져 방바닥 여기저기 흩어져 있었다. 나는 화순이와 실뜨기를 조금 했다. 화순이가 평소처럼 실뜨기에 열을 올리지 않아서 재미가 없었다. 화순이가 입을 씰룩거리면서 눈물을 한 방울 뚝 떨어뜨렸다. 그러자 나도 괜히 눈물이 나오려고 했다. 나는 눈에 힘을 바짝 주어 눈물방울이 떨어지지 않도록 했다. 온 집안에 기름 냄새가 진동했다. 가끔 누군가의 웃음소리도 들려왔다.

시간이 얼마나 흘렀을까. 나는 수용이 오빠에게 다가가 말했다. 오빠, 오빠네 할아버지 나 한 번만 보여주면 안 돼? 수용이 오빠는 순순히 이불을 걷고 할아버지 얼굴을 보여 주었다. 할

아버지는 털모자도 갓도 안 쓰고 있었다. 희고 구불거리는 머리카락이 그 어느 때보다 단정했다. 살아있는 사람과 다르지 않았다. 하나도 무섭지 않았다. 나는 할아버지를 만져보고 싶었지만 참았다. 수용이 오빠도 만지지 않는데, 아랫집 꼬마인 내가 만진다는 것은 예의에 어긋나는 것 같았다.

살아있을 때는 듣지 못하던 할아버지 귀가 환하게 깨어 이제는 이 세상 모든 소리를 다 들을 것 같았다. 누군가 마당에서 불을 피우고 옷가지를 태우고 있었는데, 그 연기가 문틈으로 들어왔다. 매캐한 연기를 할아버지가 맡고 기침을 하며 일어나 앉을 것 같았다. 나는 할아버지에게 무엇인가 해주고 싶었지만 해줄 게 없었다. 대신에 지금까지는 화순이가 우리 집 앞을 지나갈 때 욕을 하고 팔뚝질을 했는데, 앞으로는 그러지 말아야겠다고 생각했다.

다시 또 윗집에 갔다. 마당에 아름다운 상여가 와 있었다. 가까이 가기만 해도 눈이 부셨다. 아랫집 경윤이 아저씨가 장가갈 때 독가촌에서 숙자 언니가 타고 왔던 가마보다 훨씬 더 화려했다. 숙자 언니가 타고 왔던 가마는 수술이 달랑거리던 그저 그런 볼 것도 없는 가마였는데, 윗집 할아버지가 타고 갈 가마는 온통 꽃으로 장식되어 있었다. 이 가마는 윗집 할아버지보다 숙자 언니에게 더 어울리지 않나? 걸을 때마다 젖은 흙이 신발 자국 모양으로 일어나 따라오는 윗집 마당을 상여가 환하게 밝혀주고 있었다.

나는 궁금했다. 마침 동네에서 유명한 바보 동열이 아저씨가 상을 나르고 있길래 물어보았다. 아저씨, 시집갈 때 타는 가마랑 이거랑 뭐가 달라요? 똑같은 가마인데, 시집갈 때는 왜 그냥 타고 관을 싣고 갈 때는 왜 꽃 장식을 해요? 죽으면 보이지 도 않는데, 죽으면 높아져요? 동열이 아저씨는 누런 이빨을 드러내며 실실 웃었다. 상을 들고 갈 뿐 대답해주지 않았다. 바보가 괜히 바본가. 바보한테 물어본 내가 바보지.

상여꾼들이 모여들었다. 얼굴이 발그레한 상여꾼들이 둘씩 셋씩 모여 담배를 피우며 이야기를 했다. 더러는 집안을 기웃거렸다. 삼베 관을 쓴 어떤 아저씨가 상여꾼들에게 목장갑과 수건과 담배를 나누어 주었다. 안마루에서는 또 한 차례 곡이 시작되었다. 누군가 소리쳤다. 더 울어. 더 크게 울어. 그러자 안마루에서 어마어마한 곡소리가 쏟아져 나왔다. 어디선가 나타난 동열이 아저씨가 주전자를 들고 가다 안마루를 들여다보았다. 덩달아 우는 소리를 냈는데, 입은 웃고 있었다.

상여꾼들은 목장갑을 끼고 수건을 목에 두르거나 허리춤에 찼다. 어떤 사람은 머리띠처럼 머리에 둘렀다. 옻칠을 한 관이 가마 안으로 들어갔다. 상제들이 모두 나와 가마 뒤에 섰다. 화순이, 철용이, 미순이도 나와 섰다. 수용이 오빠는 할아버지 사진을 들고 나왔다. 상여꾼들이 가마를 들고 일어섰다. 가마가 흔들리고 상여꾼들이 뒤로 한 발 앞으로 두 발 디디며 발동을 걸었다. 귀청이 찢어지도록 세차게 방울이 흔들렸다. 상제들의 울음이 상여를 따라갔다.

나는 꿈을 꾸는 것 같았다. 아름다운 가마가 언덕 밭으로 올라갔다. 봄이 올 때까지 사람이라고는 찾아볼 수 없는 외진 언덕 밭이 세상의 중심이 되었다. 동네 사람들은 물론 이웃 동네 사람들까지 모두 언덕 밭으로 올라가고 있었다. 깃발이 펄럭이고 방울 소리가 계곡으로 퍼져나갔다. 상여꾼들의 느리지만 부지런한 움직임이 커다란 꽃 상자를 눈이 희끗희끗한 산으로 옮겨가고 있었다. 더러는 울고, 더러는 웃고, 더러는 입을 다물고, 더러는 떠들며, 사람들이 산으로 올라갔다.

할아버지는 지금 실눈을 뜨고 있을지도 몰라. 닥닥 잇몸을 부딪치며 히히 웃고 있을지도 몰라. 윗집 할아버지의 얼굴을 한 번 더 보고 싶었지만 볼 수 없었다. 관은 흰 무명 밧줄에 얹혀 구덩이 속으로 내려갔다. 관 뚜껑이 열리는 일은 없었다. 곧이어 흙이 떨어지고 사람들이 내려가서 노래를 하며 관을 밟았다. 그때서야 나는 윗집 할아버지가 이제 다시는 돌아오지 않음을 알았다.

그래, 나는 좀 이상한 아이였다. 처음으로 죽은 자의 얼굴을 본 그때부터 지금까지 줄곧 이상하다. 기회만 있으면 죽은 사람 가까이 가보려 했다. 죽은 자의 얼굴을 보고 알 수 없는 충격을 받았지만 괜찮았다. 악몽을 꾸지는 않았다. 죽은 자만이 무언가 특별한 것을 알고 있을 거라는 이상한 믿음. 나는 인간의 마지막 표정을 열 가지도 넘게 알고 있다. 그런데도 여전히 죽은 자의 얼굴에 얹힌 마지막 표정이 궁금하다. 그래, 나는 좀 이상하다.

303호님,
당신을 이해시켜주세요

303호님을 이해하고 싶어요. 무엇이 그 여자를 괴물로 만들었을까요? 처음 이 집에 이사와 얼마 지나지 않았을 때였어요. 하루는 누가 찾아온 거예요. 찾아올 사람이라고는 우체부 아저씨와 택배 아저씨뿐인데 누굴까요? 여자는 벽돌만 한 떡을 들고 있었어요. "303호예요. 어제 이사 왔어요." 허리까지 검은 생머리가 내려온 그 여자가 치아를 드러내며 웃었어요. '아직도 이사 왔다고 떡을 돌리는 사람이 있나?' 고개를 갸우뚱하면서 나는 커피를 끓여 그 여자가 주고 간 백설기를 먹었어요.

계절이 바뀌고 여름이 왔어요. 몇몇이 중국집에 모여 밥을 먹었어요. 앞으로 관리비를 어떻게 할지 관리 업무를 누가 맡아 할지 정하는 자리였어요. 옆에 있던 504호님이 갑자기 나를 툭 치더니 휴대폰을 내미는 거예요. 젊은 남자 사진이 있었어요.

"303호님이 이걸 왜 나한테 보냈는지 모르겠어요. 회화 가르치는 종로 파고다 학원 영어 강사라나요." 그러자 502호님도 휴대폰을 꺼내 보였어요. "어? 그거 저한테도 왔어요. 왜 왔는지는 모르겠지만요. 501호님께는 안 왔어요?" 다행히도 나한테는 안 왔어요.

작년 가을부터였어요. 어디서 자꾸 쾅쾅 소리가 나는 거예요. 천둥인가 하고 하늘을 보면 하늘은 맑았어요. 사고가 났나 하고 창문을 열어보면 도로는 텅 비어 있었어요. 굉음은 한밤

중에도 나고 새벽에도 났어요. 건물 밖에서 나는 소리가 아님을 알고 나서는 생각했어요. '술꾼이겠지. 비밀번호를 못 눌러 안에서 누가 열어줄 때까지 현관문을 두드리는 거겠지. 엘리베이터 단추 누르는 것을 까먹었겠지. 저러다 엘리베이터에 기대 자겠지.' 그런데 하루는 그 소리가 너무도 가까이서 들리는 거예요. 헬리콥터가 현관 앞에 떨어지면 그런 소리가 날까요? 눈곱을 떼고 밖으로 나갔어요.

엘리베이터 문이 열리고 502호님이 씩씩거리며 나왔어요. "저희 집 현관문 좀 보세요. 발자국 보이죠? 303호가 와서 저길 빵빵 차고 갔어요. 제가 복도로 나오니까 계단으로 막 뛰어 내려가는 거 있죠." "왜요?" 내가 묻자 502호님이 귀 옆에 달팽이를 그리며 말했어요. "이거, 아니겠어요? 그렇지 않고서야 왜 5층까지 올라와서 남의 집 현관문을 차겠어요?" "왜 그러는지 물어는 봤어요?" "내려가서 초인종을 누르니까 문을 안 열어요. 아무 소리도 안 해요. 뭐 하자는 건지 모르겠어요." 502호님은 휴대폰으로 현관문에 찍힌 303호님의 발자국을 찍었어요. 504호님이 복도에 나와 팔짱을 끼고 말했어요. "무서워 죽겠어요. 신고를 하던지 해야지 원……."

증세가 점점 심해졌어요. 303호님은 밤낮 구분이 없었어요. 아무 때나 문을 차고 벽을 차고 엘리베이터를 찼어요. 302호님은 하도 시끄러워서 303호님이 난동을 부릴 때마다 음악을 크게 튼다고 했어요. 청소기를 돌린다고 했어요. 세탁기를 돌린다고 했어요. 402호님은 무엇보다 괴성이 무섭고 또 어떤 때는 뛰기까지 해서 잠이 안 온다고 했어요. 그러면서 5층은 좀 낫지 않느냐고 물었어요. 내가 5층까지 올라와 502호 504호 현관문을 찬다고 하자 402호님은 눈을 동그랗게 떴어요. "어머, 저는 옥상 문을 차는 줄 알았는데 남의 집 문을 차는 거였군요?"

1층 공동현관에 공지사항이나 관리비 사용내역 등을 게시하면 찢어버리는 사람도 303호님이었어요. 간이 게시판으로 쓰던 소형 칠판은 한 달이 못 되어 박살이 났어요. 건물 사람들 전체가 소음에 시달렸지만 선뜻 나서서 항의하는 사람은 없었어요. 해코지를 당할까 무섭잖아요. 집요하게 따라붙어 지치지도 않으면? 생각만 해도 오싹하네요. 그런 사람은 대부분 영화 속에 사는데, 영화 속의 인물은 현실에서 힌트를 얻은 거잖아요. 밤이고 새벽이고 쾅쾅 소리가 들리면 또 시작했구나, 생각할 수밖에요.

그리고 드디어 올여름이 되었어요. 이제까지 들었던 굉음과는 비교도 안될 만큼 어마어마한 굉음이 들리고 이윽고 울부짖는 소리가 들렸어요. 사람이 낼 수 있는 소리인가 싶었어요. 이러다 정말 무슨 일이 벌어지는 건 아닌지, 건물이 폭삭 주저 않는 건 아닌지, 이미 돌았지만 더 돌아 불이라도 지르는 건 아닌지 걱정이 되었어요. 20분 정도 지났을 거예요. 슈퍼에 가려고 내려가니 1층 공동현관 자동문이 파손돼 있는 거예요. 이거였어요. 아까 그 굉음은 현관 자동문이 파손되는 소리였어요. 나갈 수도 들어올 수도 없었어요. 밖에는 401호님이 세탁한 옷을 한아름 안고 서성이고 있었어요.

몇몇 사람들이 의논을 했어요. 자동문 설치 회사에 전화를 해 A/S 기사를 보내달라고 했어요. 하지만 이미 업무 시간 후라 기사는 오지 않았어요. 나는 119를 부르는 것이 어떻겠냐고 했어요. 303호님이 건물 안에 있는데, 같은 건물에 갇혀 있다는 것이 무서웠어요. 퇴근해 돌아오는 사람들과 사소한 일들로 밖에 나갈 사람들이 모여 1층 현관 안팎은 전에 없이 복잡했어요. 119에 전화를 건 건 나였어요. “이런 일로 전화하면 안 되는 걸 아는데요. 지금 좀 와 주세요. 갇혔어요. 죄송합니다.” 5분 정도가 지나 119가 왔어요. 소방대원들과 남자 입주민들이 힘을 모아 강제로 문을 열었어요.

며칠이 지나지 않아 CCTV를 확인했어요. 엘리베이터 문이 열리자 303호님이 뛰어나왔어요. 1초의 망설임도 없이 현관 자동문을 향해 돌진했어요. 그리고는 발로 찼어요. 길고 검은 생머리가 역동적으로 춤을 추고 얼굴은 기괴하게 일그러져 있었어요. 그때 나는 왜 어렸을 때 집에서 키우던 멧돼지가 생각났는지 모르겠어요. 축사를 뛰쳐나와 급류가 굽이치는 개울을 헤엄쳐 산기슭으로 돌진하던 멧돼지 말이에요. 두 번의 발길질 만에 현관 자동문은 파손됐어요. 지켜보던 사람들 모두 비명을 질렀어요.

502호님이 증거자료와 함께 경찰서에 신고했어요. 형사가 와서 303호를 방문했지만, 그날 303호님은 이 세상에서 가장 조용한 사람이었어요. 없는 사람처럼 문도 열어주지 않았어요. 502호님이 경찰서에 가서 진술을 했어요. 사건은 강력계로 넘어갔고, 1층 게시판에 관리비 사용내역이 붙었어요. 현관문 수리비 130만 원이 빨간 글씨로 버젓이 적혀 있는데, 303호님은 두 달째 수리비를 내지 않고 있어요. 문제는 문제의 굉음이 아직도 사라지지 않았다는 거예요. 괴성과 함께 둔탁한 충돌음이 들려올 때면 나도 모르게 중얼거려요. "303호에서만! 제발 거기서만!"

방금 전의 일이에요. 땀을 뻘뻘 흘리면서 수박을 들고 들어오는데, 주차장에서 504호님이 인사를 해요. '별다른 할 일도 없으면서 들어가지 않고 주차장에서 뭐 하는 거지?' 엘리베이터를 타는 순간, 504호님이 이해돼요. 엘리베이터 안에 303호님이 있지 뭐예요. 열림 단추를 누르고 나를 기다리고 있는 거

예요. 나를 보더니 길고 검은 생머리를 찰랑 흔들며 인사를 해요. "안녕하세요? 많이 덥죠?" 아, 평범해요. 미소까지 띠고 나름 예뻐요. 정말 이 분이 맨몸으로 문을 부순 그분 맞나 싶어요. 3층에서 엘리베이터 문이 닫힐 때까지 지켜봤어요. 맞네요, 303호로 들어가네요.

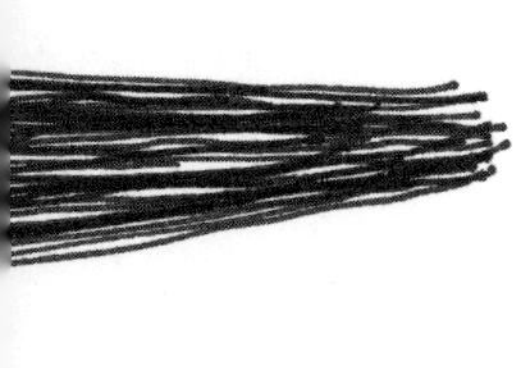

5층에 올라오니 복도가 환해요. 504호 현관문에 소형 형광등이 달려 있어요. 그리고 세대마다 포스트잇이 붙어 있어요. 504호만 빼고요. 포스트잇에 이렇게 적혀 있네요. 복도를 환하게 해서 죄송해요. 제가 너무 무서워서 저희 집 현관문에 형광등을 달았어요. 복도에 센서등이 있기는 한데, 그래도 환하면 덜 할까 싶어서요. 그럼 오늘도 무사히~. 504호. 이제 5층 복도는 센서등이 나가도 갈아 낄 필요가 없겠어요.

꽃의 소묘

드디어 봄의 왕국에 도착했어. 햇살이 따뜻해서 눈물이 나. 바람이 부드러워서 웃음이 나. 나는 이 햇살과 이 바람을 가지려고 이곳에 왔을 거야. 따뜻하고 아름다운 세계가 나를 기다리고 있을 거란 믿음으로 길고 혹독한 겨울을 지나올 수 있었어. 두껍고 딱딱한 얼음 속에서 오들오들 떨 때도 나는 의심하지 않았어. 봄으로 건너갈 수 있다는 것.

밤에는 총총, 별이 떠. 어떤 밤에는 별들이 아주 가까이 내 이마 바로 위에까지 내려와 빛나는데, 그럴 때 나는 생각해. 오늘 밤에는 별똥별이 내게 떨어질지도 몰라……. 하지만 그런 일은 없어. 별똥별이 떨어지는 건 아주 드물거든. 게다가 이 세상에는 별똥별을 기다리는 존재가 많아. 나 같은 봄꽃 한 송이에게 오기까지는 수억 년이 걸릴지도 몰라.

가까운 곳에서 새가 울어. 새의 울음은 숲의 적막을 찢고 내 온몸을 흔들어. 나는 생각해. 밤에 우는 새의 울음은 멀고 먼 별까지 들릴 거라고……. 얼마나 용감해야 먹지 같은 어둠 속에서 저렇게 크게 울 수 있을까. 얼마나 간절해야 저토록 높고 맑은 소리에 도달할 수 있을까. 새의 울음이 아름다운 건 숨김이 없어서야. 원하는 바를 속이지 않아.

바람, 바람, 바람, 바람……. 끝없이 불어와 나를 만지는 바람, 바람, 바람, 바람……. 작고 작은 내 안에 들어와 잠들기도 하는 바람. 부지런한 바람이 나뭇가지를 건드리고 나뭇잎을 건드리고 풀을 건드려. 바람은 이 숲의 왕이야. 장님 왕이야. 매 순간 이 숲의 모든 것들을 손으로 만져 확인하고 싶어 해.

그런데 내가 누구냐고? 아직 눈치채지 못했어? 보랏빛 꽃이야. 고개를 조금 숙이고 있어. 사람들은 나를 '제비꽃'이라 불러. 그리고 또……, 뭐……, 내 키가 작다나? 그건 사람들이 몰라서 하는 소리야. 나는 나 나름대로 키가 커서 고개를 숙이고 있다니까! 내 옆에 참외만 한 돌덩이가 있는데, 심지어 며칠 전부터는 내가 그 돌덩이보다 커.

어떤 날은 비바람이 몰아치기도 하는데, 그럴 때는 너무 무서워. 키 큰 나무의 꽃들이 한꺼번에 떨어져 죽거든. 지난 월요

일에는 번개가 많이 치고 비가 세차게 내렸어. 걱정이 이만저만이 아니었어. 옆에 있는 참외만 한 돌덩이가 깨지면 내가 어떻게 되겠어? 비밀 하나 알려줄까? 꽃들은 날씨를 알아. 비가 오면 향기를 아껴.

비가 오고 나면 숲은 죽음의 행렬로 환해. 나뭇잎에 붙은 꽃잎들……. 오솔길에 겹겹이 쌓인 꽃잎들……. 옹달샘이 터지도록 옹달샘을 채운 꽃잎들……. 커다란 바위를 하얗게 덮어

씌운 꽃잎들……. 누구에게나 최후의 순간이 온다는 건 알았지만, 그걸 목격하고 싶지는 않았어. 어떤 꽃잎은 내 얼굴에도 떨어졌어.

외로워. 어서 힘차게 향기를 뿜어내야겠어. 원래 자신의 향기는 자신이 맡기 어려워. 그러니 더 힘차게 향기를 뿜어내야겠어. 내 향기가 나에게 전해질 수 있도록 말이야. 내 향기는 좋고 무엇보다 향기를 맡으면 혼자 있어도 덜 외롭거든. 외로움을 많이 타는 꽃들이 짙은 향기를 내. 꽃이 자기 자신을 위로하는 방식이야.

발소리 하나 안 내며 청설모가 지나가. 청설모는 꼬리를 흔들고 바위를 넘고 나무를 타. 빠르고 가볍지만 굶주려 있어. 지금은 숲의 모든 생명체들이 배가 고파. 묵은 열매를 찾아 바삐 움직이고 있어. 이럴 때는 식물로 사는 것도 괜찮아. 꺾으면 꺾여야 하겠지만 살아있는

동안은 우아하게 춤출 수 있어.

온몸에 햇살을 맞아. 나뭇잎에 붙은 햇살이 꿈틀거려. 나무 둥치까지 햇살 장대가 반짝반짝 떨어져. 덤불 속에서 깨어난 작은 새들이 부스럭거려. 지금은 작은 새들이 주인공이야. 작은 새들은 밤에는 소리를 안 내지만 날이 밝으면 제일 먼저 일어나. 고요에 잠긴 숲에 소리를 가져와.

봄의 왕국으로 조금 더 들어가면 새들이 둥지마다 알을 낳아. 희고 푸른 새들의 알. 날지 못하는 새끼들이 둥지 속에서 하루 종일 울어대겠지. 물소리는 더 맑고 귀해지고 어미새는 야위고 바빠지겠지. 모든 생명체가 눈코 뜰 새 없이 분주하겠지. 너럭바위까지 바빠지는 계절이야.

나는 꽃이야. 고개를 숙이고 있지만 당당하게 살아있는 꽃이야. 한 자리에 가만히 있는 것 같지만 심장이 터지도록 힘차게 나의 길을 가고 있는 꽃이야. 누가 나보다 더 이 계절을 우아하게 날 수 있겠니? 해가 높이 떠오르고 있어. 장님 왕이 오신다! 이 아침 부지런한 숲의 왕이 나를 살피러 오신다!

외다리 선장은
어디로 갔을까

꼰대는 두 종류가 있는데, '글을 쓰는 꼰대'와 '글을 안 쓰는 꼰대'가 그것이다. H가 글을 안 쓰는 꼰대라면, '목각 외다리 선장'은 글을 쓰는 꼰대다. 목각 외다리 선장은 인형 나라에 갇혀 사는 더 이상 늙지 않는 시인이다. 나와 오랜 시간 마음을 나눈 친구이기도 하지만, 내가 뭔가를 할 때마다 잊지 않고 펀치를 날려 나를 비틀거리게 만드는 친구이기도 하다.

내가 시를 쓰다가 막 동시를 쓰기 시작했을 때, 그는 말했다.

"이봐, 자네는 정체가 뭔가? 갑자기 이름까지 바꾸고……. 자네가 이름을 바꾸면 다른 사람이라도 되는 건가? 그럼 자네가 본명 내걸고 썼던 시는 이제 어떻게 되는 건가? 버리는 건가? 자네가 자네를 부정하겠다 이건가? 자넨 너무 욕심이 많네. 이것저것 다 잡으려다 망하는 수가 있다는 생각은 안 해 봤나? 왜 천재도 아니면서 천재인 척을 하나? 판단 잘 하게. 나중에 여기서도 저기서도 안 끼워주는 수가 있네."

그게 무슨 뜻인지 모르지 않았다. 하지만 나는 그때 묵묵히 듣고만 있었다. 어차피 그때 나는 여기서도 저기서도 안 끼워주는 사람이었고(지금도 그렇지만), 누가 어디 끼워준다 해도 반갑지도 않았다. 워낙 어디 소속되는 것을 싫어하는 성격에다 어디 소속된다 해도 모임에 나가지 않으니 말이다. 그런데도 목각 외다리 선장의 말은 나를 강하게 흔들었다. 맞는 말이야, 이거 안 되는 사람이 저거가 될 리 있나……. 죽도 밥도 안 되고 말지 모른다는 불안감이 몰려왔다. 그러나 다행히 동시를 쓰고 싶다는 열망이 불안감보다 컸다. 나는 죽어라 동시에 매달렸다.

드디어 그토록 바라던 첫 동시집이 나왔다. 목각 외다리 선장이 지팡이로 책장을 딱딱 치며 말했다.

"축하하네. 난 자네가 잠깐 매달리다 말 줄 알았지. 이렇게까지 악착같이 매달릴 줄은 몰랐네. 대단하네. 존경하네. 사실 나도 자네한테 말은 안 했지만 동시를 써보려고 했네. 까짓것 요렇게 조렇게 쓰면 될 줄 알았는데, 막상 써보니 생각과는 다르더군. 그리고 나는 또 동시를 쓸 만큼 순수하지도 않네. 그래도 자네 잊지는 말게. 자네는 시 쓰는 사람이지 동시 쓰는 사람이 아니라는 거 말이네. 단연코 자네 뿌리는 시에 있네. 자네, 요즘 시는 쓰고 있는 건가?"

나는 그렇다고 대답했지만 사실 그 무렵 나는 시를 쓰고 있지 않았다. 동시 쓰는 게 너무나 재밌어서 시를 팽개친 지 1년도 넘은 상태였다. 불안감이 꿈틀꿈틀 명치를 건드리는 나날이 계속되고 있었다. 나는 동시를 쓰면서도 빨리 시를 쓰는 데 몰입하고 싶었다. 영영 시를 못 쓰게 될까 봐 걱정이 됐다. 하나만, 딱 하나만 쓰면 줄줄 뽑혀져 나올 것도 같은데 그 하나가 어려웠다. 나온다던 시집은 이런저런 사연과 함께 표류하고 있었고, 어느 잡지에서도 내 시를 실어주겠다는 데는 없었다. 나는 뿌리를 잃은 것 같았다. 책장 위에서는 목각 외다리 선장

의 웃음소리가 밤낮으로 쏟아져 내려왔다.

종종 시를 써야 한다는 강박관념에 휩싸여 발작을 할 것 같았다. 하지만 내가 시를 너무 오래 버려두어 시는 나에게서 멀리 떠나 있었다. 시가 바로 옆에 와도 나는 그게 시인 줄 알아채지 못할까 봐 무서웠다. 그러나 마냥 시가 돌아와 주길 기다릴 수는 없었다. 살아있기 때문에 뭐라도 해야 했다. 나는 미치지 않으려고 그림책에 몰두했다. 그리고 그림책을 내게 되었다. 목각 외다리 선장이 기우뚱기우뚱 책상 위로 걸어와 말했다.

"자넨 정말 당최 도대체 대관절 정체가 뭔가? 어디까지 갈 건가? 이쯤 되니 헷갈려 못 살겠네. 여보세요, 당신 뭐 하는 사람이세요? 시인이세요? 아동문학가세요? 그림책 작가세요? 도대체 뭐세요? 뭐하는 사람이세요?"

목각 외다리 선장이 팔짱을 끼고 눈썹을 꿈틀거리며 나를 올려다보았다. 그때 나는 그냥 웃어넘겼지만, 속으로 나도 내가 뭐 하는 사람인지 궁금했다. 나는 이전보다 더 큰 혼란에 빠졌다. 내가 뭘 하기만 하면 추궁당하니까 이런 생각까지 들었다. 에잇, 나도 몰라. 아니, 나는 나를 잘 아는데 이상하게 너만 나타나면 나를 잘 모르겠어. 그러니 이제 선장, 너를 만

나지 말아야겠어. 앞으로는 내가 뭘 하든 상관 마. 자네가 나를 먹여 살리는 것도 아니잖아. 술 먹느라고 여성형 유방에 걸린 자네보다는 그래도 내가 낫지 않아?

한동안 목각 외다리 선장은 나타나지 않았다. 그가 방문을 두드리면 나는 없는 척했다. 전화를 걸어오면 받지 않았다. 내가 나 아닌 사람에게서 잔소리를 들을 이유가 뭐란 말인가. 나는 그 어떤 조언도 추궁도 듣고 싶지 않았다. 필요하지 않았다. 게다가 그가 사는 세상과 내가 사는 세상은 다르니까. 나는 나를 걱정하지 않는데 왜 남이 나를 걱정하고 난리람?

나는 아무 생각도 안 하기 위해 펜으로 잉크를 찍어 그림을 그리기 시작했다. 그것이 결실을 맺어 짧은 시와 산문과 펜그림이 어우러진 시 그림집을 내게 되었다. 내가 책을 내자 목각 외다리 선장은 또다시 나를 찾아왔다. 그는 한밤중에 떡 하니 내 앞에 나타났다. 노란 스탠드 불빛 안에서 그가 말했다.

"포기했네. 두 손 들었네. 내가 자네한테 무슨 말을 하겠나? 시를 쓰라고 그렇게 말하는데도 듣지 않고 왜 계속 딴짓을 하나? 자네 그딴 식으로 할 거면 앞으로 나한테 아는 척하지 말게. 대체 시집은 언제 보여줄 건가? 그건 그렇고 하여간 출간은 축하하네. 펜그림은 재미있었네."

나는 또 풀이 죽었다. 나도 답답해 미칠 지경이었다. 도대체 시집은 언제 낼 수 있나? 나도 시집을 내고 싶어 미치겠는데,

그것보다 더 미치겠는 것은 시집은 언제 낼 거냐고 자꾸만 채근하는 목각 외다리 선장이었다. 나는 그가 나 말고 자기 자신에게 좀 더 관심을 갖기를 바랐다. 내 시집 말고 자기 시집 걱정이나 했으면 좋겠다고 생각했다.

얼마나 많은 시간이 흘렀을까. 드디어 시집이 나왔다. 나는 제일 먼저 목각 외다리 선장을 초대했다. 그는 시집을 잘 읽었노라고 했다. 그리고는 기우뚱기우뚱 방안을 걸어 다니면서 말했다.

"자네가 시를 안 쓰는 게 아니었구먼! 자네 정말 시인 맞구먼, 맞아. 부럽네. 나는 또(목각 외다리 선장은 여러 번 시집을 낸 시인이다. 옛날에) 언제 시집 한 번 내보나? 자네가 나보다 낫네. 축하하네. 그런데, 자네 그러는 거 아니네. 이렇게 떡하니 시집을 낼 거면서 여태 시 안 쓰는 척하고 말이야……. 무섭네, 자네. 또 뭘 숨겨 놨나?"

삐딱한 축하였지만 시집은 또 언제 낼 거냐고 추궁하지 않아서 좋았다. 나도 나를 너그럽게 대할 수 있었다. 그래, 시가 뭐 별거냐? 기다리면 찾아오는 거지. 안달한다고 찾아오면 그게 시냐. 똥이 먹은 만큼 나오는 것처럼, 시도 사는 만큼 나오는 거다.

시집을 내고 나니 마음이 넓어졌다. 조급증이 누그러들었다. 목각 외다리 선장이든 누구든 내 정체에 대해 물으면 해줄 말도 생각났다. 나? 나 시인 아니야. 나는 그냥 쓰는 사람이야. 시가 써지면 시를 쓰고, 동시가 써지면 동시를 쓰고, 그림책이 써지면 그림책을 써. 앞으로 내가 뭘 할지는 나도 몰라. 산문이 써지는 사람이 되고 싶지만, 무얼 하겠다 정해놓지는 않을 거야. 나는 늘 지금 할 수 있는 것을 할 뿐이야. 그게 내 정체야. 나를 여기 갖다 붙이든 저기 갖다 붙이든 누락시키든 상관없어. 구분하는 건 내 일이 아니야.

응대할 말까지 준비해두었는데, 젠장. 이제 목각 외다리 선장은 나한테 정체가 뭐냐고 묻지 않는다. 그에게 우울증이 찾아왔다. 얼마 전 내가 동시집을 내자 그가 말했다.

"축하하네! 자네가 이겼네. 동시 그거 되게 안 되던데 자넨 참 쉽게도 쓰네. 부럽네."

내가 그림책을 내자 그는 또 말했다.

"나도 그림책이나 하나 내고 죽었으면 좋겠네. 자네 말대로 그림책은 시인이 쓰기 가장 좋은 장르가 아닌가. 자네 말에 의하면 시적인 희곡이 그림책이라지? 아무래도 나는 시인이 아닌가 보네. 오늘도 자네가 이겼네. 자네가 잘났네."

그런데 이상하게 목각 외다리 선장이 빈정대지 않으니까 재미가 없다. 그가 빈정대 주어야 내가 멋지게 말해줄 텐데……. 이봐, 당신은 뭐든 할 수 있으세요. 동시도 쓰시고 그림책도 쓰시고 마음만 먹으면 소설도 쓰실 수 있으세요. 당신이 그 망할 술에 들이는 시간과 정성만큼 동시와 그림책과 소설에 시간과

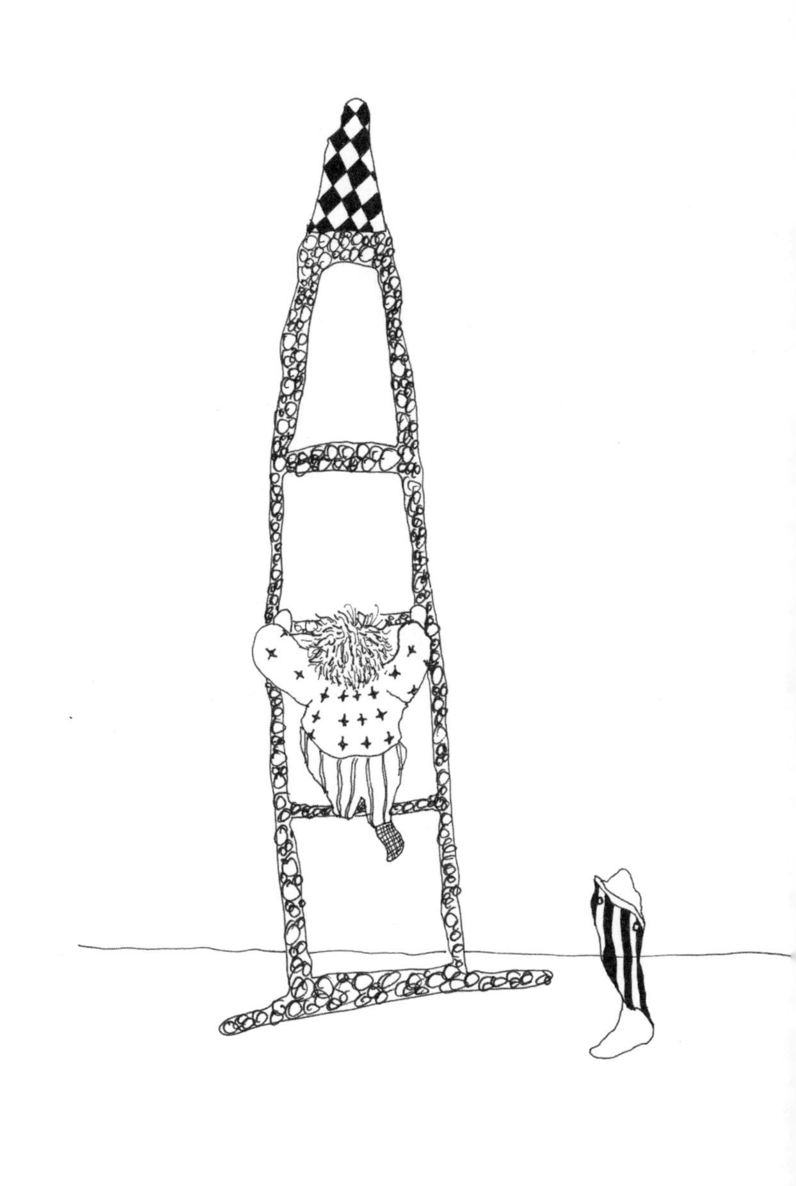

정성을 들인다면 말이야. 자네한테는 항상 최고의 캐릭터가 있지 않나. 깐족깐족하는 자네 자신의 캐릭터를 글에 데려와 봐. 끝내주게 재밌을 거야. 딴 거는 몰라도 자네는 장편소설은 꼭 하나 써야 해. 자네가 나한테 빈정대는 말만 받아 적어도 중타는 치지 않겠어? 나는 그게 아까워. 자넨 아직 자네 재주를 꺼내지도 않았어!

목각 외다리 선장은 지난 토요일 저녁, 술을 마시고 전화를 해서는 힘없이 말했다.

"심지어 난 자네보다 등단도 빨라. 추월당한 느낌이 자꾸 든다네. 한 20년 시 쓰면 뭐가 남는지 아나? 패배감이네. 자네…… 이런 기분 모르지? 자네는, 제발…… 씨발…… 시만 쓰면서 살지는 말게. 나 내일 떠나네."

목각 외다리 선장은 지금 어디에 있을까. 바다를 보고 있을까. 기운 빠진 그보다는 기운 빠지게 하는 그가 좋았었다. 언젠가 그가 돌아오면 이 말을 해줘야겠다. 이봐, 선장. 내가 여러 가지를 하는 것처럼 보이지만, 사실 나는 늘 한 가지밖에 못하네. 그 한 가지조차 쭉 할 수 없어서 이거 들었다 저거 들었다 하는 거라네. 지네랑 다를 바가 없단 말이네. 다리는 많지만 실상 지네가 지금 이 시간에 갈 수 있는 곳은 한 군데뿐이지 않나.

에필로그

걱정하지 않아.

기억은 달라질 테니까.

기억은 동영상이 아니라

몇 장의 사진이야.

순서가 바뀌고

있던 것이 사라지고

없던 것이 생기기도 해.

다시 편집할 수 있어서

참 다행이야.

이 도서의 국립중앙도서관 출판시도서목록(CIP)은 서지정보유통지원시스템 홈페이지(http://seoji.nl.go.kr)와 국가자료공동목록시스템(http://www.nl.go.kr/kolisnet)에서 이용하실 수 있습니다.(CIP제어번호: CIP2018032132)

투명인간과의 동거

초판 1쇄 인쇄 _ 2018년 10월 10일
초판 1쇄 발행 _ 2018년 10월 22일
지은이 _ 김개미
펴낸이 _ 고영
책임편집 _ 서윤후
디자인 _ 헤이존
펴낸곳 _ 문학의전당
출판등록 _ 제2017-000002호
주소 _ 서울시 마포구 마포대로 11길 91, 3층
전화 _ 02-852-1977 팩스 _ 02-852-1978
전자우편 _ sbpoem@naver.com

ISBN 979-11-5896-393-4 03810

*이 도서는 한국출판문화산업진흥원 2018년 우수출판콘텐츠 제작 지원 사업 선정작입니다.